あいだで考える

隣《となり》の国の人々と出会う

韓《かん》国《こく》語《ご》と日本語のあいだ

斎《さい》藤《とう》真《ま》理《り》子《こ》

創元社

＊本文中、韓国語からの日本語訳で特に表記のないものはすべて著者による翻訳です。

序に代えて
——1杯《ぱい》の水正果《スジョングァ》を飲みながら

水正果《スジョングァ》をときどきつくる。

生姜《しょうが》とシナモンスティックを水で煮出《にだ》して、はちみつまたは砂糖を入れる。褐色《かっしょく》の甘《あま》い液体ができる。これをよく冷やして飲む。飲むときにはスライスした干《ほ》し柿《がき》を入れる。

朝鮮《ちょうせん》半島に古くから伝わる飲み物で、食後にふるまわれる。口がたいへんさっぱりする。生姜と肉桂《にっけい》だから漢方薬っぽいが、薬《くすり》臭《くさ》さはなく、ひたすら香り高い。

韓国《かんこく》の食べものといえばキムチ、ピビンバ、焼き肉、最近ならチーズタッカルビなど、辛《から》いもの、こってりしたもの、元気の出そうなものが多い。水正果はそれとはまたちがって、心がしんとして、遠くまで見わたせそうな気がする味だ。

私は韓国の小説の翻訳《ほんやく》という仕事をしている。

この仕事をひとくちで言うなら、韓国語を読み、日本語で書く、そのくり返しだ。

韓国語で読んだことを日本語で書くと言い換《か》えてもいい。

ひとつの小説を訳しているあいだ、2つの言語と自分が同じトンネルに入っているような気がする。作家が書いた韓国語がトンネルの壁《かべ》にあたってわんわんこだまする。それを聞きとって書いた私の日本語ががんがん鳴る。

たまに、2つの言語がほんとに重なったと感じることもある。韓国語でもなければ日本語でもない、いや何語でもあるし何語でもない、もしかしたら言葉でさえない、言葉になる前の何かを重層的に体験しているような。

そのとき「あいだ」は揮発《きはつ》している。だが、本になると「あいだ」が復活する。「あいだ」は常に揺《ゆ》れているのだ。思う言葉と話す言葉、聞いた言葉と書かれた言葉、印刷された言葉のあいだにも揺れがある。各国で標準語とされている言葉のあり方にも、常に揺れがある。そもそも言葉は「揺れ」の集合体かもしれない。そして翻訳は、揺れているものどうしのあいだに揺れる吊《つ》り橋をかけるようなことだ。

日本と朝鮮半島との歴史は大揺れだったし、今も揺れている。この本で扱《あつか》う言語も、韓国語と言われたり、朝鮮語と言われたりして、そこからしてもう揺れている。このことは、南北分断という厳しい現実に直結しているし、多くの在日コリアン（ここでは、国籍《こくせき》によらず、朝鮮半島にルーツを持つ人々全体を指す）が今も昔も日本で感じる緊張《きんちょう》や生きづらさと大いに関係がある。この本ではこの言葉を、韓国語とも呼び、朝鮮語とも呼ぶが、多くの場合、相互《そうご》に言い換《か》えてもらってかまわない。大事なのは、朝鮮語と呼ばれるものと韓国語と呼ばれるものはちがう言葉ではないということだ。

そして今、この、韓国語と言ってもいいし朝鮮語と言ってもいい言葉を学ぶ人の数が、前例のないほど増えている。

K-POPや韓国ドラマが流行《はや》っているからでしょう？　と言わ

れる。確かにそうかもしれない。だが、アメリカのポップスや映画はずっと大流行だったが、それらのファンが特別に熱心に英語を学んだかといえば、そうではない。

それよりも、この言葉に、日本語話者を駆《か》りたててやまないものがあるからだと思う。なぜなら、あまりに似ていて、あまりにちがうからだ。

43年前に初めてハングルを習い、未知の記号が音と意味を伴《ともな》ったとき、何か見えない膜《まく》を破ってちがう空気の満ちる領域へ入ったような気がした。

近いところから聞こえてくる知らない音。

一歩踏《ふ》みだせば手の届くところで揺れている文字の連なり。

それは未知の世界を開いてくれるだけでなく、自分の中の何かを揺るがし、清新なものを連れてくる。ハングルが読めるようになることは、世界の謎《なぞ》の一端《いったん》が解けることだが、その謎が自分自身に濃厚《のうこう》にからんでくる。どんな言葉を学んでもそうだろうが、日本に生まれ日本語だけで育った私に、この言語がもたらしてくれる刺激《しげき》は格別だった。

　似ていて／ちがう。

　そういう言葉の海へ漕《こ》ぎだす喜びと、海の冷たさに身構える気持ち。両方を持って、今も仕事をしている。

　おそらく、言葉と言葉のあいだと同じくらい、ひとりひとりの沈黙《ちんもく》と言葉のあいだの距離《きょり》も遠いだろう。言えない言葉がある。聞かれない言葉がある。作家はそれを掬《すく》いとろうと努力する人々だ。この本では、作家たちの言葉も借りて、韓国語と日本語のあいだに立つと何が見えるか考えていきたいと思う。難しいことだから、頭が煮詰《につ》まってきたら水正果をつくって飲みながら。

　言葉は文脈によって花開きもするし、人を殺しもする。１杯の水正果をつくる時間に、１杯の水正果を飲む時間に、日本列島と朝鮮半島の長い歴史を見わたしながら、人を殺さない言葉を見つけることができればと願う。

1章

말

マル

言葉

昔から、この言葉を第二言語として学ぶ人は、
口の中に起きる風に誘《さそ》われて、
気がついたらどこかちがう場所に立っていることが
多かったのじゃないかと思う。

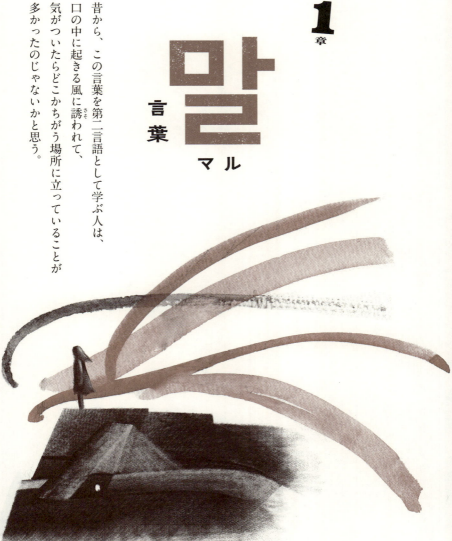

言葉は「말」（マル）。

朝鮮《ちょうせん》語で「말」（マル）。

말《マル》、と発音するだけで何かが始まる。

「何かが始まる」と書いたが、「始まる」は、「は／じ／ま／る」と発音する。このうち後半の「ま／る」という部分に注目してみよう。

言葉は音節からできている。音節とは言語における音《おん》の単位だ。「まる」は「ま」と「る」の2つの音節からできている。

一方、「말」の発音は[maːl]であって、音節1個でできている。ここに、ハングルの秘密があると言っていい。

말を無理やりカナにすれば「マル」とでもなるだろう。実際、翻訳原稿《ほんやくげんこう》をつくるときにはそんなふうに「ル」を小さくして、原音に近づけたりもする。

「マル」。この朝鮮語の音は日本語にはない。だから、くり返して発音するだけで、口の中にちがう風が吹《ふ》いてくる。

昔から、この言葉を第二言語として学ぶ人は、口の中に起きる風に誘《さそ》われて、気がついたらどこかちがう場所に立っていることが多かったのじゃないかと思う。

上に、말という言葉をつくっている音の構造を文字で示してみた。ハングルと呼ばれるこの文字のしくみは2章でも説明するので、ここでは、「말」は「ㅁ」と「ㅏ」と「ㄹ」の3つのパーツからできているんだな、と思ってくれたらいい。

m a l

말

上の「마」という部分は、子音mを表す「ㅁ」という形と、母音aを表す「ㅏ」という形が結びついて、日本語の「マ」とほぼ同様の音になることを表す。ローマ字で、子音と母音を表す文字を組みあわせるときに少し似ている。

そして、下の「ㄹ」という部分が「l」の音を担当する。

これを発音するときの口の状態を再現してみよう。

まず、「m」の音を生みだすためにあなたの唇《くちびる》はぴったり閉じられ、やや力がこもる。その力を温存したままであなたの唇は開き、迷いのない「a」の音が前方へ放たれる。そして、開いた口の中では「l」の音をつくりだすために舌がすばやく動き、口の天井《てんじょう》（硬口蓋《こうこうがい》）にしっかりとくっついて止まる。このとき注意していると、息が舌の左右を通って漏《も》れていくのがわかる。これが、「말」を発音するときに口の中で起きるドラマだ。

「ㅁ（m）」→「ㅏ（a）」→「ㄹ（l）」。という過程を、一瞬《いっしゅん》で、この順番にたどっていく。それはひとつの旅であり、音を文字に焼きつけるハングルというシステムの根幹でもある。

「말」という文字を見ながらこの音を生みだすことは、日本語話者にとっては未知の経験で、魅力《みりょく》に満ちている。

韓国《かんこく》語＝朝鮮語との出会い

最初に断っておくと、本書のサブタイトルは「韓国《かんこく》語と日本語のあいだ」だけど、私はこの本で扱《あつか》う言語のことを韓国語とも呼び、朝鮮語とも呼び、どちらかに揃《そろ》えることはしていない。

現在、この言語は、大韓民国《だいかんみんこく》（韓国）では韓国語、朝鮮民主主義人民共和国《ちょうせんみんしゅしゅぎじんみんきょうわこく》（北朝鮮）では朝鮮語と呼ばれる。また、韓国でも北朝鮮でも、「우리말《ウリマル》」（「私たちの言葉」という意味）と呼ぶことがある。英語ならKoreanですむが。

日本の学問の世界では、朝鮮半島を中心に使われてきた言語であるから朝鮮語と呼ぶのが一般《いっぱん》的だ。私もふだん、この言語の特徴《とくちょう》や学習方法などについて話すときには朝鮮語と言っている。

一方で、私が今、翻訳しているのはほとんどが韓国で書かれた文学作品だ（一部、かつて日本が朝鮮半島を植民地にしていたころに書かれたものも含《ふく》む）。だから、「韓国語」という呼び方もごく自然に使う。

ちなみに韓国では「朝鮮」という言葉は、中世・近世の「朝鮮時代」などを指す歴史用語で、頻繁《ひんぱん》に使う言葉ではない。また「朝鮮」という言葉は、韓国に住む人や、韓国から日本へ来て間もない人が聞くと、日本による植民地時代のイメージと結びついて悪印象を生みだすことがあると知っておこう。

大事なのは、朝鮮語、韓国語とちがう呼称《こしょう》で呼ばれていても、それらは同じ言語だということだ。社会体制のちがいによって同じものを指す言葉が異なったり、一部の発音にちがいがあったりはするが、南北それぞれに住む人どうしで、言葉が通じないなどということはまず、ない。

そして、韓国語と言ってもよいし朝鮮語と言ってもよいこの言語と文字に私が出会ったのは、1980年の夏のことだった。出会ったときには私も周囲の人も全員朝鮮語と呼んでいたので、ここでは朝鮮語で話を進めよう。

なんでこの言葉と出会ったのかな

翻訳をやっていると、「そもそもなぜ、朝鮮語を勉強したのですか?」とよく聞かれる。

おそらく、日本で英語以外を勉強していたらほとんどみんな理由を聞かれるんだと思う。そして、今はそんなことはないだろうが、80年代当時に「朝鮮語を勉強している」なんて言うと、ほぼ例外なく不思議そうに「なんで?」と聞かれた。

不思議そうなら、まだいいんだけど、ときには不審《ふしん》そうに、もっといえば疑わしそうに、そう聞かれることもあった。

同級生に「どうしてそんなことやってるの?」と詰問《きつもん》するみたいに聞かれたこともある。今思えば、すごく心配してくれていたのだと思う。そのころの韓国では軍人出身の大統領が独裁政治を行《おこな》っていて、しばらく前には野党政治家が日本滞在《たいざい》中に拉致《らち》され殺されかける事件があったりして、怖《こわ》い国というイメージがあったから。

それはそれとして、理由を聞かれると私は今も答えに詰《つ》まる。理由が多すぎるからだ。

この言語に接近した背景はいくつかあった。

まず、大学で考古学を専攻《せんこう》していたこと。

私は子どものころから畑で縄文《じょうもん》土器のかけらを拾うのが好きだった。それを見て、自分が存在するよりずっと前から人間は実在したのだと考えると高揚《こうよう》してきて、わけがわからなくなってしまう子どもだった。そして、その感覚だけを頼《たよ》りに大学の考古学専攻クラスに入学したため、実際に講義が始まってから困惑《こんわく》した。そのクラスには、高校時代にもう発掘《はっくつ》調査の現場にデビューして、専門的な研究テーマを持ってるような同級生が多かったから。

とはいえ私も、大学1、2年生のときには発掘調査にも参加して、なんとか考古学についていこうと努めた。やがて、日本が朝鮮半島を植民地にしていたころ、日本考古学はそれに協力していたと知ってがっかりした。今になって思えば、講義についていけないという困惑が別の方向に向かって噴出《ふんしゅつ》しただけなのかもしれないが。とにかくそれで、「だめじゃん」と思った。戦前の古い入門書などを見ると、日本考古学の本なのに、慶州《キョンジュ》の古墳《こふん》から出た、金の装飾《そうしょく》や勾玉《まがたま》がいっぱいぶら下がったきれいな王冠《おうかん》の写真が載《の》っていたりして、それを見てまた「だめじゃん」と思った。そこからはどんどん加速度がついた。

そのころ私は、今ならフェミニズム研究会と呼ばれそうな小さなサークルに入っていて、少人数で学習会をやったり、さまざまな集会に参加したりしていた。そのときに、「妓生観光問題《キーセン》」というものを知った。当時、日本人男性の団体が買春目的でアジア各地へ行く観光ツアーが堂々と行われていて、韓国はその最大の目的地だったのだ。この買春観光を批判し、反対運動をやっている人たちが韓国にも日本にもいた。

なんでも知りたい時期だった。同じころに、在日コリアンへの差別の問題にも初めて触《ふ》れた。

そしておそらく決定的だったのが、1980年5月に**光州事件**《こうしゅう》（韓国での公的名称は「光州民主化運動」）が起き、自分と同年代の人たちが街頭で軍人に殴《なぐ》られたり、連行されていく場面をニュースで見たことだ。

光州事件

1980年5月18日から27日にかけて、韓国南西部の都市・光州を中心に、学生・市民らが民主化を要求して蜂起《ほうき》した事件。軍による過剰《かじょう》な鎮圧《ちんあつ》によって多数の人が死亡した。前年に、1961年以来軍事独裁政権を率いてきた朴正熙《パクチョンヒ》大統領が射殺され、自由と民主主義を求める学生らの動きが活性化し、「ソウルの春」と呼ばれる中でのできごとだった。

記憶《きおく》は一筆《ひとふで》書きのようにはつながらない。ニュースの内容に自分がストレートに反応したとは思えない。何が起きたのかよくわからなかった。休み時間にサークル室に行くと、先輩《せんぱい》が黒板に書いた「韓国で大変なことが起きている、学生が殺されている!」という伝言が残っていて、その文字の緊迫《きんぱく》した感じを覚えている。

また、「少し良くなったと思ったのに、祖国はなぜどんどん遠くへ行くんだ」と嘆《なげ》いていた在日コリアンの知人(まだ友だちといえる関係ではなかった)の記憶がある。でも、それらのあいだに距離《きょり》があって、線がつながらない。

それから5年後、私は、光州をテーマに書かれた韓国の詩をたくさん読み、おぼつかない技術で翻訳するようになっていた。7年後の1987年には韓国が民主化され、さらにその4年後の1991年に私は韓国に留学して、実際に光州という都市に足を踏《ふ》み入れた。それらの記憶はもっとばらばらで、でも、無理に一筆書きの線につなげようとしないほうがいいんだと思う。

とにかく、右に書いたようなさまざまなことがひと束になっていて、束の中から一本だけとりだすと別のストーリーになってしまう。考古学のエピソードを最初に書いたけれども、別に順番があるわけでもないのだ。「考古学専攻から朝鮮語へ」と言っても、「光州から韓国語へ」と言っても、完全に嘘《うそ》ではないが、完全に本当でもない。

「隣《となり》の国のことば」とは言うが

茨木《いばらぎ》のり子（1926〜2006）という有名な詩人がいる。1970年代に50歳代《さい》になってから朝鮮語を学び、『韓国現代詩選』（花神社《かしんしゃ》、のち亜紀書房《あきしょぼう》から復刊）という訳詩集や、『ハングルへの旅』（朝日新聞社、のち朝日文庫）というすてきなエッセイ集を残した。朝鮮半島の言葉と文化の魅力の紹介者《しょうかいしゃ》として、真っ先に名前の挙がる人だ。

その茨木さんもまた、「動機はなんですか?」と聞かれるたびに答えに困ると『ハングルへの旅』に書いている。

動機はひとつではなく、たくさんあったそうだ。

『朝鮮民謡選《みんようせん》』（金素雲《キムソウン》訳編、岩波文庫）という本を少女時代に愛読していたこと。50歳で夫と死別して「語学をしゃにむにやることで、哀《かな》しみのどん底から立ち直ろうとし」たこと。古代史に関心があったこと。詩人として、「隣国《りんごく》の詩を訳せる詩人が一人もいないっていうのは驚《おどろ》くべきこと」だという気持ち。洪允淑《ホンユンスク》という韓国の詩人と友だちになり、洪さんがきれいな日本語で手紙をくださるので（もちろん植民地時代に日本語教育を受けたからだ）、韓国語でお返事を書きたいという気持ち。

ほかにも、昔からなぜか朝鮮半島の文化に惹《ひ》かれるという、もしかしたら自分の遠いルーツにかかわるのかもしれない謎《なぞ》めいた感触《かんしょく》さえあって、とにかく動機はいりくんでいるが、ひとことでは言えないので、「全部をひっくるめて最近は、『隣《となり》の国のことばですもの』と言うことにしている」というのだった。

このエッセイが1986年に本になったとき、私はリアルタイムで読み、「隣の国のことばですもの」という言い方をお守りみたいに感じた。あの茨木さんでさえそうなのだから、明快に答えられなくても無理はないと。

「隣の国のことばですもの」という答え方には、大きな効果があったと思う。朝鮮半島をばかにしている人たちに対しても、またその逆に、朝鮮半島の人々への申し訳なさから近寄りがたく思っている人たちに対しても、「お隣の言語を学習することに、なんの不思議がありますか?」と問い返せばハッとして、「あ、そうだよね」と思う人がいただろう。

けれどもこの答え方は、あえて大事なことをスルーしている。

「隣の国」――地理的には確かにそうだ。でも、そこはただの「隣の国」ではない。そんなこと茨木さんだってわかっていて、あえてそう書いている。

1945年まで、朝鮮半島は日本の植民地にされていた。だからそこは当時、「国」

ではなかったし、たぶん、「隣」でもなかっただろう。そこは大多数の日本人にとって、いつのまにか日本の一部になった「どこか」にすぎず、そして植民地じゃなくなったあとは、ほとんど忘れていたはずだ。日本が第二次世界大戦に負けたあと朝鮮半島から引き揚《あ》げてきた人たち以外は。

さらにいえば、朝鮮半島は1948年に南北に分断され、日本はその南とは1965年に国交を結んだが、茨木さんが勉強を始めたころも今も、北のことは国家として認めていない。今も国交がないままだ。

「隣の国の言葉ですもの」は魔法《まほう》のようにすてきな言葉だが、よくよく見つめれば「隣」にも「国」にも、矛盾《むじゅん》と、痛みと、ねじれがあった。

小さな鳥の羽ばたきのようだったハングル

私の話に戻《もど》る。

最後のはずみになったのは、ひとりの、「ハングルを書く人」の存在だった。

大学2年生の、前期の授業が終わって夏を迎《むか》えるころだったと思う。韓国民主化運動の支援《しえん》をするための市民グループの勉強会に誘われた。そのころは、どんなことでも誘われたら一度は行ってみる質《たち》だったので、誘ってくれた女性の先輩についていった。そしてその先輩が、私の隣の席で、ハングルでさらさらとメモをとっていたのだ。逮捕《たいほ》されたか、死刑《しけい》判決を受けた人の名前だったと思う。

それまで私がハングルという文字をちゃんと見たことがあったのかどうか、思いだせない。ハングルという名称《めいしょう》はかろうじて知っていて、「あの四角やマルが入っている字……」というくらいの印象はあった。だがとにかく、目の前でハングルが書かれるところを見たのは、まちがいなく初めてだった。

書きはじめと書き終わりがあって書き順がある。「これを書くのだ」という意志を持った人の手で、文字の一画一画が記され、形になり、できあがっていく光景を、初めて見たのだ。「ハングルって、ほんとに、文字なんだ」、そんな驚きがあった。

たぶん鉛筆《えんぴつ》かシャープペンシルだったと思う。その一画一画は軽《かろ》やかで羽のようだった。その人はもう亡《な》くなり、確かめるすべがないが、万年筆やボールペンだった気がしない。あたたかい灰色の鉛筆の文字。こすったら消える、黒鉛《こくえん》の粒子《りゅうし》できていたハングルの人名。

それを書きつける手つきは、手もとで羽ばたく小さな鳥の動きみたいだった。

「あれを書きたい」そう思った。

鉛筆の軽い動きの先で、文字と意味と特定の人の名前がしっかり結びあわされる

ということ、ひとりの人の手がそれを制御《せいぎょ》しているということが、目を見張るような眺《なが》めに思えた。今では想像もつかないことだが、そのころはまだNHKのハングル講座すらなく（ラジオもテレビも両方）、韓国映画を見る機会はほぼゼロ、ましてドラマなんかひとつも入ってこなかった。音楽は、演歌に似て聞こえるベテラン歌手がときどき紹介される程度。韓国文学の翻訳・出版もすごく限られていた。デザインの一部としてすら、ハングルを目にする機会はほとんどなかった。

「せみの声が聞こえてきます」

運がよかったのは、大学内に朝鮮語を勉強するサークルがあったことだ。しかもそのサークル室が、私が入っていたフェミニズム系サークルの隣だった。そうじゃなかったとしたら、わざわざ学校やカルチャーセンターを探して習いに行くほどの積極性が自分にあったかどうか。

夏休みに入ったばかりのころ、そのサークルが夏季特別集中セミナーを設けていた。お試《ため》しコースみたいなもので、受講料も安い。それを受けることにした。

このサークルの存在はずっと知っていた。学生たちがお金を出しあって先生を呼び、週に1度、初級と中級の2つのクラスを自主的に運営していた。名前は「自主講座朝鮮語」という。在日コリアンの学生と日本人学生が共に学ぶというのが大事なコンセプトだった。もともとは、第二外国語の選択肢《せんたくし》に朝鮮語を入れるよう大学側に申し入れをするために集まった先輩たちがいて、ただ申し入れをしているだけじゃつまらないから、自主的に勉強もやろうということになって、開講されたのだ。韓国留学から帰ってきたばかりの新進気鋭《しんしんきえい》の研究者の先生たちが、安い講師料で授業を引き受けてくださっていた。今思えば本当にぜいたくな講義だった。

当時はそんなこともわかっていなくて、ただ張り紙を見て1週間の集中セミナーに申しこんだのだ。1日2時間だったかで6日間。毎日通えば、ハングルが全部読めるようになるよというのだった。

そして本当にそうなった。

ハングルのしくみというのはとても機能的で、しくみを覚えればどんどん読めるようになるのである。たぶん初めの2日ぐらいで文字の基礎《きそ》を習い、後半では簡単な例文を習った。そのときの文章を今も覚えている。

「매미 소리가 들려 옵니다。」

せみの声が聞こえてきます。

夏にぴったりの例文だった。

매미《メミ》 소리《ソリ》 가《ガ》 들려《トゥルリョ》 옵니다《オムニダ》。
せみ（の） 声 が 聞こえて きます。

一語ごとに横に訳を書き入れてみると、こうなる。

SＶＯではなくＳＯＶで、語順は完璧《かんぺき》に同じだし、「てにをは」にあたる助詞の役割もほぼ同じ。

「聞こえて」＋「くる」という、動詞の組み合わせ方もほぼ同じ。

こんなに似ているのに、音にすれば「メミ　ソリガ　トゥルリョ　オムニダ」となって、全然ちがう。

単語のひとつひとつにも日本語との関連性はない。たとえば英語のflowerがフランス語ではfleur、スペイン語だとflor、イタリア語だとfiore……というようにはいかなくて、「せみ」は「メミ」で、「声」は「ソリ」。

せみが鳴いている。必死に鳴いている。せみはいつか鳴きやみ、夏は終わるだろう。そのことを誰《だれ》もが知っていて、知りつつ耳を傾《かたむ》けている。そういう人たちに、せみの声が「聞こえて」＋「くる」。

　なじみのある文の構造と、未知の音の連なり。そのコントラストから、ひとつの情景が浮《う》かびあがる。

　もちろん、そのときにこんなことを整然と考えたわけではないけれど、今も思いだすと、そのときからもう、何かに魅了《みりょう》されていたのだと思う。

「聞こえてきます＝トゥルリョ　オムニダ」の「トゥルリョ」の部分をハングルで書けば「들려」で、「말《マル》」という言葉にひそんでいた「ㄹ」の音と重なる。声にすると、関節にすっと風が通るような気がする。今まで虫干しをしたことのない骨と骨のあいだに、風があたる。

隣の国の人々の「マル」

それは言葉になっている？


　似ていてちがう。ちがうけど似ている。朝鮮語と日本語はそういう間《あいだ》柄《がら》だと大勢の人が言うし、私もそう思う。

　こうしたことを考察する学問を「対照《たいしょう》言語学」というのだそうで、日本語話者は

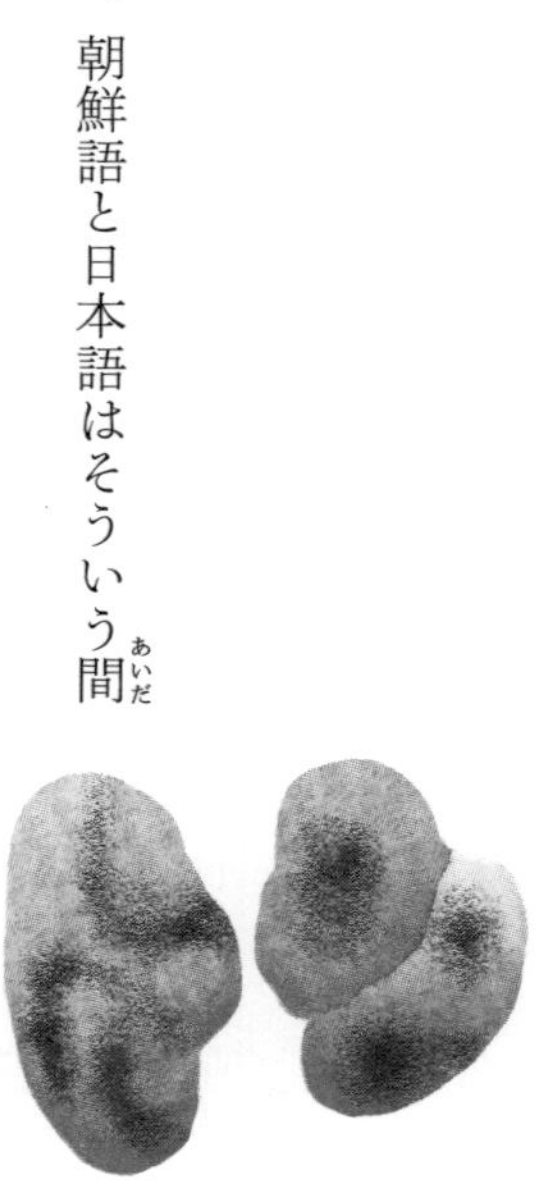

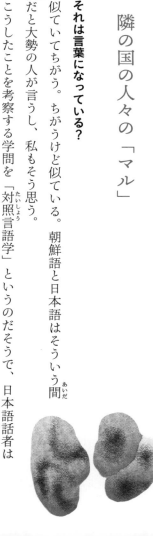

誰でも、朝鮮語に対して対照言語学的な興味から接近することが可能だそうだ。

具体的にどんな言葉がそのきっかけになるかは、ひとりひとりでちがうだろう。

私の場合は、この章のタイトルにもなっている「マル」という言葉がしばしばきっかけになる。


マルは基本単語のひとつだ。


朝鮮語の語彙《ごい》には固有語（＝日本でいう「やまとことば」のように、朝鮮語本来の言葉）、漢字語（＝漢字由来の言葉）、外来語という種類がある。말《マル》は固有語で、昔からある言葉だ。

朝鮮語は「朝鮮マル」、韓国語は「韓国マル」だし、日本語は「日本マル」だ。

「本当?」と確かめるときは「正《チョン》マル?」と言うし、「嘘だ!」は「コジン（偽《いつわ》りの、嘘のという意味の固有語）マル!」と喝破《かっぱ》する。


辞書で「マル」の意味を調べると、まず「言葉、言語」、それから「話、言うこと、言い分」となっている。


「そんなこと言わないで」とか「私の話わかってる?」とか言う場合にも「マル」を連発する。「あのことだけどね」と前置きしたり、「それでさ」と切りだしたり、途《と》中《ちゅう》で「だからー」と一拍《いっぱく》置いたり、会話の調子を整えるときも「マル」を使う。

「マル」に助詞やその他がくっつくと発音が変わって、「マリ」とか、「マリヤ」になる。初めて韓国へ行ったとき、人があっちこっちで「マリヤ」「マリヤ」と言ってるように聞こえ、「韓国はキリスト教の信者が多いからこんなにマリア様のことを話すのかな」と思ったほどだ。それに、私はマリコという名前なので、誰かが改まって「それでマリヤー」などと言ってると、一瞬ドキッとしたものだ。

こんなのは、ネイティブスピーカーには透明《とうめい》になってしまって、まったく意識されないことだ。でも、いきなり朝鮮語だけの世界にほうりこまれて耳をそばだてている非ネイティブにとってはちがう。1991年から1年半ばかりソウルに住んだときも、「みんなしょっちゅうマルマルマルマル言うよなあ」と思っていた。

誰かの話に「だよねー」とあいづちを打つとき、「私のマルがそのマルだよ」と言ったりする。つまり、「私の言おうとしていたことは、まさにあなたの言ったそのことなんだよ!」と強調しているわけだ。ときどき後半を省略して、「私のマルがー、私のマルがー」とくり返したりもするので、そこだけ聞くとすごくおかしい。

それは言葉になっていません

「言葉になっていない」または「言葉ではない」。

そういう決まり文句がある。

「そんなの、言葉になってないよ（言葉じゃないよ）」と言われたら、それは「あきれた」「ありえないよ」、または「ひどい」「だめじゃん」という否定的な見解だし、場合によっては、相手はかなり怒《おこ》っている。「お話にならないね」という日本語の表現と似ているが、「言葉になってない」はもう少し責める、批判する、反省を要求するニュアンスが混じるようだ。

つまり「マル」＝言葉に「道理、常識」の意味がこめられているのだ。

この前、近未来を舞台《ぶたい》にした韓国ドラマを見ていたら、とてもりりしい女性の軍人が、上司に向かって「それは言葉になりますか？」と言っていた。

疑問の形にはなっているがもちろんこれは反語で、「あなたのしていることはまったく言葉になっていませんよね？」という批判がこめられている。この上司は、部下と共有すべき情報を自分のところで止めてしまうので、結果的に、難民の保護という任務をじゃまする。正義感の強い部下は、表情ひとつ変えずに「それは言葉になっていますか」とつめよったのだ。

「それは言葉じゃない」「言葉になっていない」。こういう言い方の根っこには、「言葉たるもの、筋が通っているべき」という前提、たてまえがうっすらと見える。

世界的に人気のあるアイドルグループＢＴＳにも、ずばり「それは言葉になってるの?」というタイトルの曲がある。失恋《しつれん》の歌で、自分たちの愛がそんなふうに終わるなんてあっていいのか? というニュアンスだ。日本語なら「ありえない」「信じられない」となるだろう。だが、この歌詞が英語で紹介されているのを見ると「Do you think it makes sense?」となっている。これを見るとやはり「言葉になっていることは、理にかなったことだ」という考え方がかいま見える気がする。

もうひとつ歌の話をしよう。

ぐっと古くなるが、韓国の音楽史上で絶対に外せない存在として、キム・ミンギ(1951〜2024)という人がいる。1970年代、韓国フォークの黎明《れいめい》期をつくり、のちにはミュージカルも手がけた有名な歌手・作曲家だ。この人の古いレパートリーに「なくしてしまった言葉」という歌がある。ゆったりとつぶやくようなメジャーコードの優《やさ》しい曲で、夕方に聴《き》くのがふさわしい。歌詞は次のような内容だ。

夜風がものを言っている。

古い王宮の塀《へい》も、老婦人の落ちくぼんだ目も、何ごとかを語っている。

道ばたの物乞《ものご》い、囚人《しゅうじん》たちが着ている青い囚人服、切り倒《たお》された街路樹、倒れた石垣《いしがき》、すべてが何かを物語っている。だが、「マルらしくないマル」に疲《つか》れた私の耳には、聞きとれなかった……。

「マルらしくないマル」、つまり言葉ともいえないような言葉、という意味だ。一見、もっともらしい体裁《ていさい》をとっているが、実はなんの中身もない言葉。言葉のふりをしているからいっそう腹立たしい、ばかばかしい言葉。

辞書を見ても、「マルらしくない」は「話が道理や常識に外れている」という意味として、ちゃんと独立項目になっている。

キム・ミンギがこの歌をつくったのは、厳しい独裁政権の時代だった。彼《かれ》の歌も何度も放送禁止になったことがある。作家も詩人も歌手も、言いたいことを言いたいように表現できる時代ではなかった。

日本の植民地だった時代から１９８７年の民主化まで、「マルらしくないマル」＝言葉ともいえない言葉がのさばった時代を経て、今がある。

マルに賭《か》ける作家たち

セウォル号事件と「マル」の失墜《しっつい》

今年２０２４年は、セウォル号事件が起きて10年めにあたる。

２０１４年４月16日、仁川《インチョン》港を出発した済州《チェジュ》島《ド》行きの旅客船セウォル号は、目的地を目前にした全羅南道《チョルラナムド》珍島《チンド》沖《おき》で転覆《てんぷく》、沈没《ちんぼつ》した。亡くなった乗客304人のうち250人が、済州島へ修学旅行に行く高校生だった。

セウォル号を運航していた会社は、日本から古い船を買い入れ、たくさんの荷物と大勢の旅客を乗せることができるように法律違反《いはん》の改造をほどこしていた。結果としてひどい過積載《かせきさい》の状態になり、さらに、固定のしかたに問題があったため、荷くずれが起きやすくなっていた。過積載については、日常的に書類の偽造《ぎぞう》があった。

収益重視とひきかえに、安全性は軽視されていた。船は、船底に重しの役割をする「バラスト水」というタンクを積んでいるが、セウォル号ではそのうちひとつが空《から》だった。救命ボートは錆《さ》びついて使えなかった。こうした重大な過失が、不徹底《てってい》な検査によって見過ごされてきた。

経験不足で不適切な操船をした新人航海士や、責任を放棄《ほうき》していち早く逃《に》げだした船長は非正規雇用《こよう》だった。乗客への避難誘導《ひなんゆうどう》は行われず、高校生たちは「そこにじっとしているように」という船内放送に従ってじっとしていた。

大ざっぱに言うなら、長年続いてきた官民の癒着《ゆちゃく》と、1990年代後半以降に始まった、企業《きぎょう》の自由な利益追求と競争を助長する新自由主義的な政策がもたらした最悪の結果だった。そのうえ、政府の対応は理解を超《こ》えるほどの不手際《ふてぎわ》だった。天候もよく、船が座礁《ざしょう》したわけでもなく、助けられたはずの命だった。沈没までの過程が生中継《ちゅうけい》で報道され、それを全国民が見守らなくてはならなかった。みんなが、これではいけないと思いながら見過ごしてきたさまざまな矛盾が重なって、高校生たちを死に至らせた。大勢の人が自責の念にかられ、国じゅうが喪《も》の空気に包まれた。

作家のキム・エラン（1980〜）は、当時のことをこのように書いている。

「最善」を尽《つ》くすと言うのを聞いた。「最大限」努力するという言葉も。「すべて」を動員するという約束も聞いた。一回や二回ではなく、何回も繰《く》り返し聞いた。もっともらしい言葉は、主に「上」から下りてきた。そこには副詞や形容詞、述語や抽象《ちゅうしょう》名詞はたくさん使われていたが、時制は不明で、動詞や主語、固有名詞はほとんどなかった。続いて聞こえてきたのは「責任」という言葉だった。「積弊《せきへい》」という言葉、「厳罰《げんばつ》」という言葉も登場した。ところがその言葉を最後まで全部聞いても、いったい誰が何に対してどのように責任を取るというのかわからなかった。

（「傾く春、私たちが見たもの」矢島暁子《あきこ》訳、『目の眩《くら》んだ者たちの国家』新泉社所収）

そしてキム・エランは、亡くなった高校生の高校がある安山《アンサン》市に行って、「ブラボー安山、世界の中の安山、幸せな人たち」といった標語を見たときのことをこう記す。

以前、内実のない美辞麗句《びじれいく》ばかり並べる政治家たちを「言語略奪者《りゃくだつしゃ》」だと思ったことがある。ところが安山でそうした標語を見ていて、もはや言葉の一つひとつではなく、文法自体が破壊《はかい》されてしまったと強く感じた。

キム・エランのこの文章は、セウォル号事件が起きて間もないころに、文芸雑誌『文学トンネ』の特集に掲載《けいさい》されたものだ。二度にわたる特集には、作家、詩人、研究者など12人が寄稿《きこう》し、キム・エランのほかにもキム・ヨンス、パク・ミンギュ、ファン・ジョンウン、ペ・ミョンフンら、日本でも人気の作家たちが参加している。二度の特集には大きな反響《はんきょう》があり、文芸雑誌としてはめずらしく増刷を重ね、秋には『目の眩《くら》んだ者たちの国家』という一冊の本になった。たくさんの人が読めるように定価を安く設定し、さらに、売り上げからの印税と販売《はんばい》収益金は全額、「セウォル号惨事《さんじ》を忘れないためのさまざまな活動」に寄付されたということだ。

それでも「マル」に賭《か》ける人々

『目の眩んだ者たちの国家』を編纂《へんさん》した文芸評論家のシン・ヒョンチョル（1976〜）は、あとがきにこんなことを書いている（「本を編んで」矢島暁子訳）。

私たちが本を読む理由のうちの一つは、私たちが知らないことがあるということを知るためである。人が経験できる事件は限られているので、実際に感じられる感情も限られている。そのとき、文学作品を読むことは、感情のシミュレーション実験となり得《う》る。小説を読む間、身も細る思いをしたり、血が沸《わ》きたったからといって、その感情を完全に理解したと言うのは言い過ぎだ。しかし、小説でなければその感情に近づいていく方法がない。例えば、自分の子どもが溺《おぼ》れて死んだのに、その真相を知ることができず、死体も見つからないとき感じる感情とか。人間は無能だから完全に理解することは不可能で、人間は意気地《いくじ》がないので一時的な共感も徐々《じょじょ》に薄《うす》れていく。だから一生の間にすべきことが一つあるとすれば、それは悲しみについて学ぶことではないか。他人の悲しみに「もううんざりだ」と言うのは残酷《ざんこく》なことだ。政府が死んだ人を再び殺そうとするとき、そんな言葉は生き残った人たちまでも殺そうとするのだ。

長々と引用したのは、ここに、それでもマルに——言葉に賭《か》ける人々の心がよく表れていると思ったからだ。

「他人の悲しみに『もううんざりだ』と言うのは残酷なことだ」。これは、遺族たちに浴びせられたヘイト発言や心ない視線のことを指す。セウォル号に関連する特別法の制定を求めて遺族たちが長期間の抗議《こうぎ》行動を行《おこな》っていたとき、「賠償《ばいしょう》金目当てだ」と嘲笑《ちょうしょう》したり、ハンガーストライキをしているそばでわざわざケータリングの料理を食べたり、大量の菓子《かし》を投げつけたりした人たちまでいたのである。「遺族がそんなにえらいのか」という大学教授の失言まであった。それこそ、「言葉になっていない」言葉だ。

シン・ヒョンチョルは、そういう言葉が「生き残った人たちまでも殺そうとする」とはっきり言っている。

では、言葉で言葉に対抗《たいこう》することは可能だろうか。韓国では、この事件の後「セウォル号以後文学」と呼ばれる作品群が生まれた。キム・エランの「立冬」という短編小説はその代表で、直接的にこの事件を描《えが》いてはいない。子どもをなくしたある夫婦の悲しみと、その後2人が経験した無責任な視線や無理解、その中で生きられた時間を描き、身のまわりのどこにでもセウォル号はあることを示した。

その小説が入った短編集のタイトルは、『外は夏』という。本の中に「外は夏」という題名の作品はないのだが、本一冊を象徴《しょうちょう》する言葉としてこれを選んだのだ。セウォル号事件は春に起きた。だから「外は夏」とは、春に事件が起きた状態のままで時間が経《た》ってしまった人たちの心の風景を表すと言っていい。いつしか時間は経ち、外は夏になっているが、自分の時間と外の時間が接続しない人たちの物語だ。

たまに世間が「時間」と呼んでいる何かが、早送りしたフィルムみたいにかすめていくような気分になった。風景が、季節が、世の中が、自分たち二人を置き去りにして自転しているような。その幅《はば》を少しずつ狭《せば》めて渦《うず》を作り、自分たち家族を呑《の》みこもうとしているように見えた。花が咲《さ》いて風が吹く理由も、雪が解けて新芽が顔を出すわけも、全部そのせいだと思っていた。時間が誰かに対して一方的にえこひいきしているようだった。

（「立冬」古川綾子《あやこ》訳、『外は夏』亜紀書房所収）

強い痛みを抱《かか》えて時間が止まったままの人たち。

その人たちと一緒《いっしょ》にいるためにはどうすればいいのか。

「もし私たちが他人の内部にまで入っていくことができないのならば、とりあえず近くに立ってみることが最初にすべきことなのかもしれない」というのが、キム・エランの見つけた道だった。『理解』とは、他人の中に入っていってその人の内面に触れ、魂《たましい》を覗《のぞ》き見ることではなく、その人の外側に立つしかできないこと、完全に一体にはなれないことを謙虚《けんきょ》に認め、その違《ちが》いを肌《はだ》で感じていく過程だったのかもしれない」と。

韓国の作家たちがセウォル号事件をめぐって綴《つづ》った言葉は、10年経った今、ますます重みを増して聞こえる。４章で詳《くわ》しく書くが、そこには、歴史の節目で何度となく大量死の悲しみを体験してきた隣の国の人たちの思いがまるごと重なっている。「それはマルになっている?」という問いが歴史を貫《つらぬ》いている。

私が韓国のことで比較《ひかく》的よく知っているのは、小説と若干《じゃっかん》の詩のことだけだ。どの社会でも小説や詩を書く人たちはちょっと変わり者で、必ずしもその社会を代表するとはいえない。でも、その社会を象徴する人々だとはいえるだろう。この本ではそうしたことを中心に書いていく。

2章 文、文字

글《クル》

マルは話され、聞かれるもの。
そしてクルは書かれ、読まれるもの。
マルとクルが呼吸をあわせて、
人は自分の胸のうちを表すことができる。

言葉が「말」（マル）。

次は「글」（クル）の番だ。

「글《クル》」とは文、または文字を表す。学問や学識を指すこともある。

マルは話され、聞かれるもの。そしてクルは書かれ、読まれるもの。

マルとクルで世界は回る。

「マルとクル」は韻《いん》を踏《ふ》む。リズムがよい。マルとクルが呼吸をあわせて、人は自分の胸のうちを表すことができる。

マルとクルの力

「両班《ヤンバン》」という言葉がある。韓国《かんこく》の歴史ドラマをよく見る人なら知っているだろう。

高麗《こうらい》・朝鮮《ちょうせん》時代に、高級官僚《かんりょう》を「文班《ムンバン》」と「武班《ムバン》」の2つのグループに分けたことに由来し、支配階級、知識階級を指す言葉でもある。

このうち、圧倒《あっとう》的に「文班」のほうが地位が高く、軍の中枢《ちゅうすう》も多くは文班が占《し》めていた。

武より文。それが基本だ。

そもそも高級官僚になるには、中国からとり入れた登用試験である科挙に合格しなければならない。科挙の第一科目は漢詩を書くことだ。学者・文人への尊敬は強く、言葉を扱《あつか》う人は世の中に良い手本を示すべきだという理念が、時代ごとにカスタマイズされながらずっと保存されてきたと言って大筋でまちがいない。

それは、朝鮮半島がたどってきた厳しい歴史と関係がある。

豊臣秀吉《とよとみひでよし》がくわだてた文禄《ぶんろく》・慶長《けいちょう》の役《えき》（いわゆる「朝鮮出兵」）で朝鮮は大きな被害《ひがい》を受けた。江戸《えど》幕府はそれを重く見て国交回復に努め、江戸時代を通じて、朝鮮通信使を迎《むか》えて丁重にもてなした。

それが明治維新《いしん》で激変する。列強に伍《ご》して生き延びるには朝鮮を手に入れることが肝要《かんよう》と考えた日本は、日清《にっしん》戦争、日露《にちろ》戦争の勝利を経て着々と願望を実現させた。１９１０年に韓国併合《へいごう》条約が締結《ていけつ》され、以後植民地支配は35年に及《およ》んだ。

１９４５年の日本の敗戦で解放を迎えたのも束《つか》の間《ま》、南にアメリカ軍、北にソ連軍が進駐《しんちゅう》して38度線を境に朝鮮半島は南北に分断されてしまった。南北の双方《そうほう》で激しい政治的混乱が続き、テロなどの暴力に巻きこまれて死んだ人も多い。多くの人が統一朝鮮の独立を願ったが、１９４８年には南北双方に政府が樹立して分断が固定化、１９５０年には残酷《ざんこく》な朝鮮戦争が起きる。戦争が休戦になった後は南北ともに、厳しい独裁政治に直面した。

そんな歴史を経て韓国は経済成長を遂《と》げ、また、1987年に民主化を成し遂げた。以来、韓国市民は、自分たち自身が意志表示することによって社会を変革してきたという自負を持っている。厳しい競争社会、格差社会の中で人々は懸命《けんめい》に生きている。

近年はK-POP、ドラマ、映画が世界的に有名だ。と同時に、いまだに朝鮮戦争は「休戦」状態にすぎず、徴兵《ちょうへい》制度があり、超多忙《ちょうたぼう》なK-POPスターも2年弱の時間を軍隊生活に捧《ささ》げなくてはならない。

激動の中で、作家や詩人はずっと、庶民《しょみん》を啓蒙《けいもう》するために尽力《じんりょく》してきた。かつての時代、厳しい検閲《けんえつ》の下《もと》で日本の植民地支配への抵抗《ていこう》の道を探《さぐ》り、監獄《かんごく》で死んだ文学者もいる。その一方で、日本の軍国主義に協力したため「親日派」（植民地時代に日本と協調し、なんらかの特権を持っていた人という意味。「裏切り者」の別名だ）として激しい非難を浴びた人もいる。さらに、朝鮮戦争のときに朝鮮民主主義人民共和国（北朝鮮）に拉致《らち》され、殺された文学者までいた。

独裁政権の時代には政府を批判する作品を書いて死刑《しけい》判決を受けた人も。検閲との戦いが長く続く、激しく苛烈《かれつ》な文学史だった。

現在の韓国の経済指標は日本を上まわった。韓国の作家たちは当然ながら表現の自由を享受《きょうじゅ》し、世界の多様なカルチャーに接しながら作品を書いている。と同時に、この人たちの文学は常に、多くの回路によって歴史に通じ、社会に通じている。そこにはまっとうな社会への強い願望がある。遠い未来を描《えが》いたSF作品も、現代の韓国社会と地続きで、やってきてほしい未来像を提言する役割も果たしている。

ハングルが生まれる

マルからクルへ

世界には本当に多数の言語が存在してきたし、存在しているが、文字を持たない言語も非常に多い。

人がクルを持ったのはそう昔のことではない。文字の発明は人類史の中で古いできごとではないし、世界のどこでも、構成員のほとんどが文字を読み書きする社会が成立したのは、つい最近のことだ。

東アジアには漢字という壮大《そうだい》な文字体系があり、朝鮮半島でも日本列島でも、この文字を尊び、敬意を持って遇《ぐう》してきた。それは、漢字・漢文を読み書きする「士」

という支配階級あってのことである。だがどちらも、日常的には、漢字を生んだ言語――すなわち古代／古典中国語とは音も文法もまったくちがう言葉を使っており、それを漢字で表記しようとして、たいへんな苦労を重ねてきた。

朝鮮語圏《けん》ではすでに紀元前には漢字が伝わっており、自分たちの言語である朝鮮語を漢字で表す試みも古くは存在した。しかしその伝統は朝鮮時代には絶えてしまっていた。日本語圏に漢字が伝わったのはもっとあとのことであり、伝わるとまもなく、漢字の音と訓を利用して日本語を書き表す「万葉仮名《がな》」という方法が編み出された。どちらでも、頭を悩《なや》ませて、自分たちの古い神話や年代記を漢字で書き残したのだ。

その後日本では、草書体で書いた漢字をくずして「ひらがな」が、漢字の一部をとりだして「カタカナ」が生まれた。一方、朝鮮半島では、話し言葉であるマルは朝鮮語、支配階級が使う書き言葉は中国語（漢文）という二重言語状態が長く続いた。

そして15世紀にひとりの王様が現れ、何もないところから、マルをクルにするシステムを考案したのだ。朝鮮王朝第４代、世宗大王《セジョン》（１３９７～１４５０）だ。

ハングルの誕生

世宗こそ、文句なしのスーパースターで革命家だと思う。朝鮮半島だけでなく、世界史を見わたしてもめったにいない名君のひとりだ。韓国でいくつも映画がつくられていて、人気のほどがわかる。この王様が創製したマルをクルにするシステムが、今、「ハングル」と呼ばれているそれだ。

最初に断っておくと、「ハングル」という名称《めいしょう》をつけたのは世宗ではない。49ページに詳《くわ》しく書いてあるが、「ハングル」はずっと後の19世紀になって生まれた呼称だ。

世宗が残したのは、1446年に頒布《はんぷ》された『訓民正音《くんみんせいおん》』という解説書だ。「訓民正音」とは「民《たみ》に訓《おし》える正しい音」という意味。ここにハングルのしくみや、ハングルがつくられた経緯《けいい》も詳しく書いてある。いわく、「漢字の読み書きができない民は、言いたいことがあっても、その意をのべることのできない者が多い」。だからここに文字をつくるのだと。そして、「人々が簡単に習い、日々用いるのに便利にさせたい」と簡潔にまとめている。（『訓民正音』趙義成《チョウイソン》訳注、平凡《へいぼん》社ライブラリー）

端的《たんてき》に言って、えらいなあと思う。ハングルのすごさと世宗大王に関する本はたくさん出ているが、機会があればぜひ、原典である『訓民正音』に触《ふ》れてみてほしい。現代語訳としっかりした注釈《ちゅうしゃく》がついているから、難しいけれどちゃんと読める。

５００年以上も経《た》ったテキストそのものに触れることができるのは、すばらしいことだ。

世宗はこのプロジェクトのために当代随一《ずいいち》の学者たちを集めてチームを組んだ。そのうちひとりは申叔舟《シンスクチュ》といって、室町《むろまち》時代にあたる１４４３年に朝鮮王朝の使いとして日本と琉球《りゅうきゅう》を訪《おとず》れ、『海東《かいとう》諸国紀』という記録を書いた人である。

だが世宗は、学者に任せておしまいという人ではなかった。王様本人が立派な言語学者だったということらしい。王が先頭に立って、漢字とはまったく別の、東洋哲学《てつがく》と音韻《おんいん》学に基《もと》づいた、しかも覚えやすい文字が生まれた。

誰《だれ》だったか思いだせないのだが、韓国のアーティストが、自分は日常的にハングルを使いながら、ときどき、世宗大王とチューニングしているような気がすると言っていたのを読んだ覚えがある。そんなふうに思える王様がいるのはすてきだ。

だって、つくった人の名前も経歴もわかっている文字なんてちょっとほかにない。文字っていつのまにかできるものだと思っていた。初めて世宗大王のことを知ったときはかなり驚《おどろ》いた。

好きな音楽を聴《き》いて胸がいっぱいになるときは、作曲家や作詞家とチューニングしている状態なのかもしれない。ハングルに接する人たちが世宗とチューニングする一瞬《いっしゅん》を持てるとしたら、世宗が『訓民正音』に自分の立場をしっかりと記録し、残してくれたからだと思う。

苦難の道をたどったハングル

現在はハングルの存在抜《ぬ》きに朝鮮半島を語ることはできないが、実はこの文字が広く人々のあいだに定着するまでには、500年近い苦難の歴史があった。

1443年に完成した『訓民正音』は、すぐに臣下からの猛反対《もうはんたい》にさらされた。崔《チェ》萬理《マルリ》という高官が翌年、王に訴《うった》える嘆願書《たんがんしょ》を出したが、それを読むと、このシステムはとてもよくできていると認めつつ、反対理由として次のように主張している。

「文字といえば漢字であり、それを差しおいて新しい文字などつくったら中国を怒《おこ》らせるかもしれない」

「こんな、文字ともいえないようなものを使ったら、今後、漢字を学ばなくても高級官吏《かんり》になれるようになり、そうなったら世が乱れるかもしれない」

つまり、漢字を礎《いしずえ》とする世の中の秩序《ちつじょ》が壊《こわ》れてしまうことを恐《おそ》れたのだ。

すごいのは、こうした反論や論争の様子までちゃんと記録されていて、今も読めるということだ。たとえば世宗は、文字を知らない庶民が訴訟《そしょう》の際に冤罪《えんざい》に巻きこまれることを大いに心配していたが、崔萬理はこれについて「中国では話し言葉と書き言葉が同じだが、冤罪はとても多い」と反論している。

これらの議論は、訓民正音の公布前に戦わされたもので、世宗は崔萬理らを一度処分したが、すぐにそれを解き、何か月かして復職させたらしい。大事なのは、そのとき、当時最高の知識人たちによる言語学的な討論が真剣《しんけん》に行われたことだ。

こうやってつくられた文字は、国の文字と定められ、当初は科挙の出題にも用いられて、本格的な表舞台《おもてぶたい》での活用が期待されていた。だが世宗亡《な》きあと、激しい政変が続くとともに、徐々《じょじょ》に退けられていった。

公《おおやけ》の場ではやっぱり漢字・漢文が使われつづけ、ハングルを使ったのは、女性と子どもと民衆だった。一時期「アムクル」（あえて直訳すれば「雌《めす》のクル」）と呼ばれたこともあるというが、それはひらがなが「女文字」と呼ばれたのと同じである。

『春香伝《チュニャンジョン》』や『沈清伝《シムチョンジョン》』など、広く愛された作者不明の物語もハングルで書かれたし、歌と打楽器で演奏される伝統芸術「パンソリ」も、ハングルの台本を使っていた。政治の表舞台ではなく人々の近くで、地下水のように、世宗の意志は脈々《みゃくみゃく》と生き生きと受け継《つ》がれた。

朝鮮半島でハングルが本格的に民族の文字として普及《ふきゅう》するのは、ずっと時代が下って近代に入ってからだ。

19世紀末、列強からの開国要請《ようせい》によって国が大揺《ゆ》れに揺れた時代、若い言語学者・周時経《チュシギョン》（１８７６〜１９１４）は、自国の文字を持つことがいかに重要であるかを悟《さと》り、朝鮮語とハングルの研究を独自に開始した。「ハングル」という呼称はこの周時経が命名したものといわれている。ちなみに「ハン」は「偉大《いだい》なる」という意味なので、「ハングル」とは「偉大な文字」という意味だ（「ハン」と「クル」を続けると、発音のしくみ上、「クル」が濁《にご》って「ハングル」となる）。

周時経は、独立運動家の徐載弼《ソジェピル》（１８６４〜１９５１）が１８９６年に創刊した朝鮮初のハングルの新聞『独立新聞』に参加してハングルの表記法を統一し、数々の著書を著《あらわ》し、学生の指導にも熱心にとりくんだ。

ハングルの普及と現代化に力を尽《つ》くした周時経は１９１４年に38歳《さい》の若さで亡くなったが、その教え子たちが「朝鮮語学会」を結成して志を継いだ。また、ハングルの新聞が出され、雑誌が出され、ハングルで書かれた小説が人気を集めた。ここまでにハングル創製から実に約５００年経っている。

１９１９年に起きた**3・1独立運動**の後、朝鮮を統治するために日本が現地に置

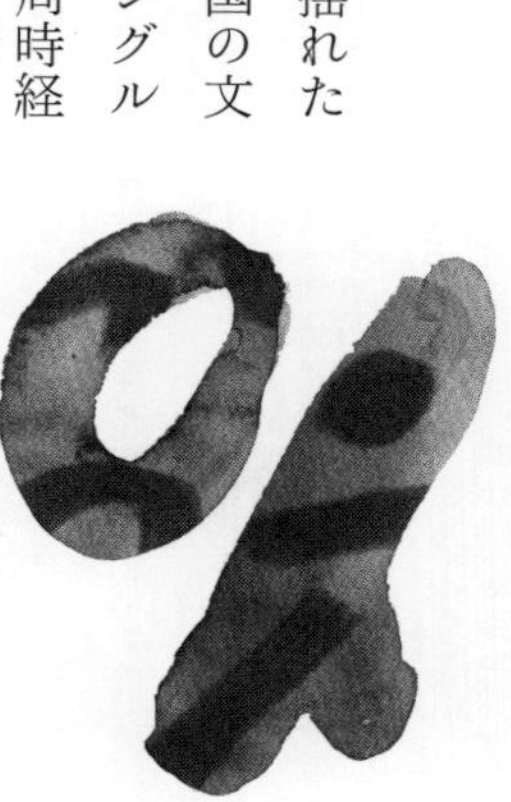

いた朝鮮総督府《そうとく》は、1910年の韓国併合以来続けた強硬《きょうこう》な統治方針を改め、「文化政治」と呼ばれる政策転換《てんかん》を行い、限定つきで言論・出版・集会・結社の自由を認めた。これにより、ハングルによる言論活動も活発化した。1930年代には朝鮮文学が円熟期を迎えた。

3・1独立運動

日本統治下の朝鮮で1919年3月1日から始まった朝鮮民族の独立運動。33人の指導者が京城《けいじょう》（現在のソウル）で独立宣言を発表、民衆が「独立万歳《ばんざい》」を叫《さけ》んで大規模なデモを起こし、全国に波及《はきゅう》したが、日本側は軍隊や警察を出動させてこれを鎮圧《ちんあつ》、数千人の死者、5万人近い逮捕《たいほ》者が出た。現在も3月1日は国民の祝日。

だが、1937年に日中戦争が始まると、日本は朝鮮半島を兵站《へいたん》基地とするためにさまざまな面で弾圧《だんあつ》を強めてゆく。1938年には学校での朝鮮語による授業が実質的にすべて廃止《はいし》され、朝鮮語による新聞や雑誌も徐々に廃刊《はいかん》に追いこまれた。1942年には、朝鮮語辞典の編纂《へんさん》を進めていた朝鮮語学会の学者たちが治安維持《ちあんいじ》法違反《いはん》の容疑で捕《つか》まり、2人が拷問《ごうもん》で死亡する「朝鮮語学会事件」が起きた。ハングルを守ろうとすることが、大日本帝国《だいにっぽんていこく》にとっては治安をゆるがす行為《こうい》だったのだ。朝鮮語学会の人々が編纂していた『朝鮮語大辞典』の原稿《げんこう》は日本の警察に押収《おうしゅう》されたが、ひそかに保管されていたものが1945年の解放後に発見された。それをもとに辞典の刊行がスタートしたが、完結前に朝鮮戦争が勃発《ぼっぱつ》してしまう。著者たちは原稿を地中に埋《う》めて避難《ひなん》したり、編集室を移動させたりしながら作業を続け、休戦後の1957年に辞典は完成した。

ちなみに、ハングルはあくまで文字の名称なので、「ハングル語」という言い方は成立しない。「ハングル語」という言い方は、1984年にNHKがラジオ・テレビ講座をスタートさせる際、名称を朝鮮語にするか、韓国語にするかで結論が出ず、「アンニョンハシムニカ　ハングル講座」という折衷案《せっちゅう》に落ち着いたことと関係があるだろう。

今も、勉強を始めて間もない人が「早くハングルをすらすら話せるようになりたいです」などと言ったりするが、これは「ひらがなをすらすら話せるように」と言っているのと同じで、奇妙《きみょう》な言い方だ。こんなところにも南北分断という現実が影《かげ》を落としているわけである。

文字の中に思想がある

音を形にする革命

「チーム世宗」が生みだしたこの文字は、生の朝鮮語から、音を表すパーツをつくりだし、それを組みあわせることでマルをクルにするという画期的なシステムに基《もと》づいていた。

このアイディアそのものが、類を見ない発明だった。

以下、2章と3章では具体的なハングルのしくみや発音に触れるが、ざっと概要《がいよう》に触れたにすぎないので、詳しくは１５２ページの「作品案内」で紹介《しょうかい》している本を読んでほしい。

本書の11ページで、말という言葉を発音するときに起きるドラマを説明している。ハングル創製者たちは、このドラマをまったく逆からつくった。言葉という意味を持つ[maːl]という音を、どうやって「말」というクルに焼きつけたか、見てみよう。

それはまず、母音《ぼいん》と子音《しいん》を表すパーツ（字母《じぼ》）をつくることから始まる。

母音字母の成り立ちは、東洋哲学の天地陰陽《いんよう》説を基本としている。

丸い天は「・」。

平らな地は「ㅡ」。

人はそこに立つ形で「ㅣ」。

これら、「天・地・人」を表す3つの形をもとにして母音字母がつくられた。

天・地・人を組みあわせて、「ㅏ」「ㅑ」「ㅓ」「ㅕ」……といった母音を表す形21個が生まれる。

日本語の母音は「アイウエオ」の5つ、朝鮮語なら「ㅏㅓㅗㅜㅡㅣㅐㅔ」という字母で表される8つがある。

そのほかに、「ヤユヨ」にあたるヤ行の音6個も母音字母として扱う。

さらに、ワ行にあたる音6個と、二重母音と呼ばれる母音を組みあわせたものが1つあるので、合計21個の母音字母があることになる。

一方、子音字母は、それぞれの音を発声するときの口、舌、歯などの形を文字の形に写しとることでつくられた。たとえば、
・「ㄱ」は、カ行の音を発音するとき、舌の奥《おく》の部分が口の天井《てんじょう》の奥のほう（軟口蓋《なんこうがい》）にしっかりくっついた状態を形にしたもの（kの音を表す）。

・「ㄴ」は、ナ行の音を発音するとき、舌先が上の歯の内側や歯茎《はぐき》のあたりにぴったりくっついた状態を形にしたもの（nの音を表す）。

これらに、

・唇《くちびる》を閉じた状態をあらわす「ㅁ」（m）

・歯そのものをかたどった「ㅅ」（s）

・喉《のど》をかたどった「ㅇ」（ŋ＝鼻音）

の３つを合わせて５つの基本的な字母とする。

この５つの子音字母は、陰陽五行《ごぎょう》と深い関係がある。それらに画を書き足したり並べたりしてㄹ、ㅂ、ㅈ、ㄷ……といった子音字母のラインナップができていった。

現在のハングルでは母音字母21、子音字母が19で合計40個。

音ひとつひとつに思想が入っていると思うと、くらくらしてしまう。そして、これらを組みあわせることで１文字にするのだ。

初声ー中声ー終声のマジック

そして、母音と子音を表すパーツをどう組みあわせるか。

それは「初声―中声―終声」という原則にのっとっている。

初声は文字どおり最初に発音される音で、子音。
中声は母音。
終声は最後に出る音で、子音。
終声が存在しない字もあるし、初声と終声のない、母音だけの字もある。

こういうことを知らなくてもハングルは覚えられる。実際、私もそうだった。でもあるとき、口の中で起きるドラマに気づいてはっとした。だって、口の中で「天・地・人」がスパークするわけだから。

ハングルを覚えるときには、そこまで考えていられないかもしれない。私もそうで、覚えてからずっとあとになって、少しずつこれらのことを知った。今も全部を理解しているわけではない。でも、ハングルを覚えてからこれらの原理を眺《なが》めると、ちょっと感動する。文字に理念があるってすごいと思う。

漢字という壮大な文明のそばで生きてきて、日本ではそれをくずしたり切りとったりしてゆるゆると文字がつくられたのに対し、朝鮮では漢字とまったくちがうものを、名前のわかっている人々が協議してつくりだした。ここまで対照的だというのも、すごいことだ。

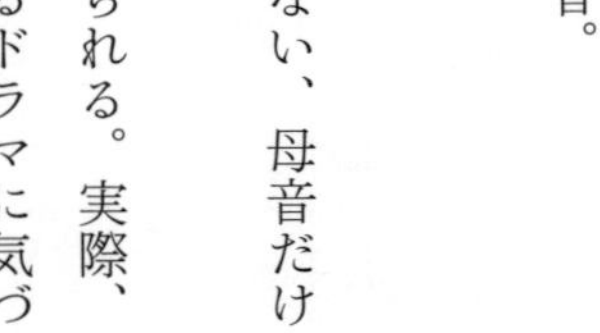

そのしくみの根底に「陰陽五行」があること、マルをクルにするために、世宗大王とそのチームがいかに知的作業に没頭《ぼっとう》したかを想像するだけでもいいと思う。

雨森芳洲《あめのもりほうしゅう》が教えてくれること

そんなハングルのすごさをよく理解していた人が江戸時代の日本にいた。

雨森芳洲《あめのもりほうしゅう》（1668〜1755）は医師の息子として生まれ、儒学《じゅがく》を志し、対馬藩《つしまはん》に仕え、生涯《しょうがい》、朝鮮との外交に活躍《かつやく》した。

文禄・慶長の役によって朝鮮と日本との国交が断絶した後、対馬藩が徳川家康《とくがわいえやす》の命《めい》によって日本と朝鮮の国交回復に尽力《じんりょく》し、以後、朝鮮通信使を迎える際にも重要な役割を果たしたことはよく知られている。朝鮮通信使は高度な学問と文化を伝えてくれる文化使節であり、幕府は膨大《ぼうだい》な費用をかけて彼らをもてなした。

雨森芳洲は第8次（1711年）と第9次（1719年）朝鮮通信使の接待責任者を務めた。儒学と漢文に精通していた彼は、1703年から1705年にかけて、日本からの使いを接待するために釜山《プサン》に置かれた施設《しせつ》「倭館《わかん》」に滞在《たいざい》したときに、朝鮮語を熱心に学んでいる。その前に勉強していた中国語に比べると朝鮮語は学びやすく、その理由を「わが国に同じく反言《かへりごと》なるがゆゑ《え》なり」と書いている。「反言」とは、動詞と目的語の順番が中国語と逆になることだ。

釜山滞在中に雨森芳洲は、朝鮮語の教科書・辞書である著書『交隣須知《こうりんしゅち》』を著《あらわ》し、また61歳のときには『交隣提醒《ていせい》』を書いている。この本は、対馬藩主に対して朝鮮とのつきあいの心得を丁寧《ていねい》に説いた外交の手引きだ。そこで主張されているのは、言葉をはじめ朝鮮の風習、習慣をよく知り尊重することの大切さだ。最晩年には朝鮮語通訳の養成に努め、対馬に通訳の学校を設けて訓練を進めた。

雨森芳洲が活躍した時代、朝鮮の知識人たちは、ハングルは女性と子どもが使うもの、民衆が使うものとしか見ていなかった。だが雨森芳洲は、小説の本を自分で筆写しながらハングルを学び、その成果を『交隣須知』に生かした。

そして『交隣提醒』では、隣国《りんごく》である朝鮮と善隣《ぜんりん》関係を結ぶことの大事さを強調してやまなかった。そのモットーは「誠信の交わり」。「お互《たが》いに欺《あざむ》かず、争わず、真実をもって交わる」ことである。こうした考え方は、秀吉が朝鮮で起こした戦争には大義名分がなく、朝鮮でも日本でも多くの人を無駄《むだ》に苦しめただけだという認識《にんしき》に基づいていた。

雨森芳洲が力を入れた対馬藩の通訳養成所は、明治維新後の1880年に設置された東京外国語学校朝鮮語学科の前身でもある。『交隣須知』は、ここでも教科書として使われていた。しかし韓国併合とともに、朝鮮語は外国語ではないからという理由で学科廃止の声が上がるようになり、それと直接どのような関連があるのかははっきりわからないが、事実として1916年度から募集《ぼしゅう》が停止され、1927年には学校規定から正式に朝鮮語部が消えた、という。東京外国語大学に朝鮮語学科が復活したのは、1977年のことである。

もしも雨森芳洲のような考え方が明治維新《いしん》以降の日本で主流だったら、どうなったのだろう。

それを考えることは、無駄ではない。

雨森芳洲は、例外的な理想ではなく、ありえたかもしれない日本の可能性のひとつだと考えたい。歴史を知ることは、不発に終わった夢のコレクションでもある。この言語を学ぶ人に、雨森芳洲とチューニングする一瞬が訪れたらそれはとてもいい。

マルとクルの奥《おく》にひそんでいるもの

「どうぞ」と「ここにありますよ」のあいだ

大学のサークルの夏季集中セミナーが終わったあと、私はそのサークルに入って週1度の講義を受けた。週1度でも、ある程度まではかなり早く習得したと思う。勉強しはじめて3年めの1982年には、先輩《せんぱい》がひきあわせてくれた縁《えん》で、釜山の大学の日本語科の先生や学生たちと交流し、その後、ひとりで地方都市をまわりながらソウルへ行くという旅行をした。

たった2週間の旅行だったが、あっというまに語彙《ごい》や言い回しが自分の中に蓄積《ちくせき》されるのを感じた。わからないことより、わかった！という喜びのほうが強く、かなり自信を持ってしまったぐらい（それは10年後に覆《くつがえ》されるのだが）。

このときの思い出で、いまだによく覚えていることがある。釜山の中国料理店で、大勢で丸テーブルを囲んで食事をしていたとき、誰かが「塩、ない？」と言った。すると私の隣《となり》にいた人がすっと塩の瓶《びん》をとってさしだしながら、「여기《ヨギ》 있어요《イッソヨ》」（ここにありますよ）と言ったのだ。

そのとき、水面に小さな波紋《はもん》が広がっていくような驚《おどろ》きがあった。理解でき、納得もできる会話で、なんの不思議もなかったのだが、それと同時にほんのわずかの「私とちがう」という感覚があり、驚いたという事実をなかったことにできなかった。

おそらく私はその瞬間《しゅんかん》、自分が塩の瓶を探し、さしだすところ

を想定して、「どうぞ」という日本語を朝鮮語に置き換《か》えようとしたのだと思う。そこへ「ここにありますよ」という表現——というか発想——が、思いがけない角度から飛びこんできた。

　ちなみに、日韓辞典で「どうぞ」という単語を引いてみると、「어서《オソ》」とか「부《ブ》디《ディ》」という言葉が載《の》っている。だがそれはちょっと丁寧すぎ、塩をさしだすようなシチュエーションには合わない。

　だが、同じ日韓辞典の同じ項目《こうもく》に、「どうぞ」を説明する会話例として、こんなのが載っているではないか。

A：담뱃불《タンベップル》　좀《チョム》　빌려《ピルリョ》　주세요《ジュセヨ》。（たばこの火を貸してください。）

B：네《ネー》、여기《ヨギ》　있어요《イッソヨ》。（さあ、どうぞ。）

「ここにありますよ」は、辞書もお墨《すみ》つきを与《あた》えた「どうぞ」だったのだ。

40年前のあのとき「ヨギ　イッソヨ」を聞いた私は、ぼんやりと「ああ、これはHere it is」と感じながら宙づりになっていた。似ている、似ているというけど、こんなに根本から、骨組みからちがうこともあるじゃないか。それはなぜか晴れやかで、2つの言語を話す人たちが集まったその場に風が通ったような、少し外側から俯瞰《ふかん》できたような、その中でちょっと背がのびたような気のする一瞬だった。

小説を翻訳《ほんやく》するときに考えていること

常識的に考えれば、「ヨギ　イッソヨ」という言い回しはあまりにありふれていて、小説の中に出てきたら何も考えず「はい、どうぞ」と訳してOKなはずだ。

ところが今でも、40年前に戻《もど》って頭の中で想定してみると、「どうぞ」と言う私と、「ヨギ　イッソヨ」と言う私は、少しちがう人間なのだ。そして変な話だが、翻訳《ほんやく》をしているときの私はどっちの私か、それとも2人で分担してるのか、よくわからない。

それはたぶん私が心のどこかで、「ヨギ　イッソヨ」という言い回しに、何かの骨を感じたからだ。ネイティブスピーカーならそこに骨があると意識しない骨。私も、ふだんは意識しない骨。日本語とちがっている骨。

何言ってるかわからないと思う。私だって変だと思う。ただ、記憶《きおく》をなかったことにできないだけだ。なぜかそのとき隣にいた人が薄《うす》いブルーのシャツを着ていたような印象まで残っている。

韓国旅行から帰ってきたあと、大学4年生だった私は卒論を書くべきだったのだが、それをあとまわしにして韓国の小説ばかり読んでいた。サークルの先生がテキストに使ってくれた『こびとが打ち上げた小さなボール』という小説は、都市開発で家を失う貧しい人とか、工場で労働組合をつくってがんばるがつぶされてしまう人とか、そんな人たちのお話なのに、妙《みょう》に透明《とうめい》感のある不思議な書き方をしていて、それを美しいと言っていいのかどうかわからず、手をつっこんでも底までとどかないようでもどかしかった。先生に頼《たの》んで原書をとり寄せてもらって、わからないと思いながら読んだ。

読みはじめていきなりつまずいたのが、登場人物が、日本語なら「なぜだ?」と問いかけるだろうところを「なぜそうなのか?」と尋《たず》ねている点だった。「そう」という指示語の使い方がちがうのだ。これもまたごく普通の日常表現なのだが。

「なぜだ?」ではなく「なぜそうなんだ?」

「怖《こわ》いのか?」ではなく「怖くてそうなのか?」

この「怖くてそうなのか?」は、『こびとが打ち上げた小さなボール』の第1章「メビウスの帯」という短編の、残酷《ざんこく》な殺人事件が幻想《げんそう》的に描かれている重要なシーンに出てくる。犯罪に手を染めようとしている2人の人物がいて、ひとりの手が震《ふる》えている。震えていないほうが、「怖くてそうなのか?」と尋ねるのだ。

あれから34年後の2016年、私は翻訳を仕事にするようになっており、出版社に提案してこの小説を翻訳した(『こびとが打ち上げた小さなボール』河出書房新社《かわでしょぼう》、のち河出文庫)。そのときもこの箇所《かしょ》は「怖いのか?」と訳している。それで十分なのだが、どこかで「そうなのか?」がひっかかっていて、それもまた、ふだんはそこにあると思いもしない骨にこだわっていたためだと思う。それを翻訳に直接反映はしないが、そこを通過したことをショートカットしたくない。

作家ハン・ガンにとってのハングル

もう一度ハングルに戻る。

いま世界で最も注目されている韓国の作家、ハン・ガン(1970~)に、『ギリシャ語の時間』という長編小説がある。タイトルからもわかるように語学と関係の深い小説だ。

心に深い傷を負い、声を出すことができなくなった女性が、難解なことで知られる古典ギリシャ語を勉強するためにカルチャースクールに通う。最も困難なときに、困難なことに静かにチャレンジする人なのだ。

この主人公は、子どものころからとても言語に敏感《びんかん》だった。もしかしたら、ハン・ガン本人と重なるのかもしれない。3歳のときに、「ハングルが母音と子音の組み合わせで成り立っていることはまったく知らないままに、すべての文字を一個ずつ単独で覚えてしまった」という。そして小学校に入ってからは、自分の好きな文字を何度となくノートに書いて喜びを覚えた。

> 中でも彼女《かのじょ》がいちばん好きなのは숲《スプ》（森）という言葉だった。昔の塔《とう》のような形をした、造形的な文字である。いちばん下の「ㅍ」が塔の土台、「ㅜ」が塔、「ㅅ」が塔の尖端《せんたん》。ㅅ—ㅜ—ㅍと発音するときは、まず唇がすぼみ、次に風がゆっくりと、用心深く漏《も》れてくるような気がして、彼女はその感じが好きだった。そして最後に、閉じられる唇。沈黙《ちんもく》によって完成する言葉だ。音も意味も形も静かなその単語に惹《ひ》かれて彼女は書いた。숲、숲と。
>
> （『ギリシャ語の時間』斎藤《さいとう》真理子訳、晶文社《しょうぶんしゃ》）

この人こそ、世宗大王とチューニングしているのではないかと感じる。初声—中声—終声というドラマを目と耳の両方で味わっているのだから。

ハン・ガンは、社会と個人が体験する傷と、その回復の過程を描いている作家だ。ハングルの森、クルの森にこの作家はいて、その森は閉じていない。翻訳するためにその森に入っていくとき、私は無意識にもうひとつの扉《とびら》も開けておくようだ。マルにもクルにもなる前の、それでも日本語とちがっている骨、朝鮮語の骨みたいな何かを、感知しておきたいので。

人間には、マルにもクルにも託《たく》せないものがあって、ハン・ガンはそのことを知っているからこそ小説を書いているのだと思う。マルとクルの奥にひそんでいるものがたくさんあるからだ。

3章

소리《ソリ》 声

言葉にできないこと、
文章には書けないことが人生にはたくさんある。
ソリはそれらのすべてを含《ふく》む。
マルやクルの背景には
膨大《ぼうだい》なソリの層がある。

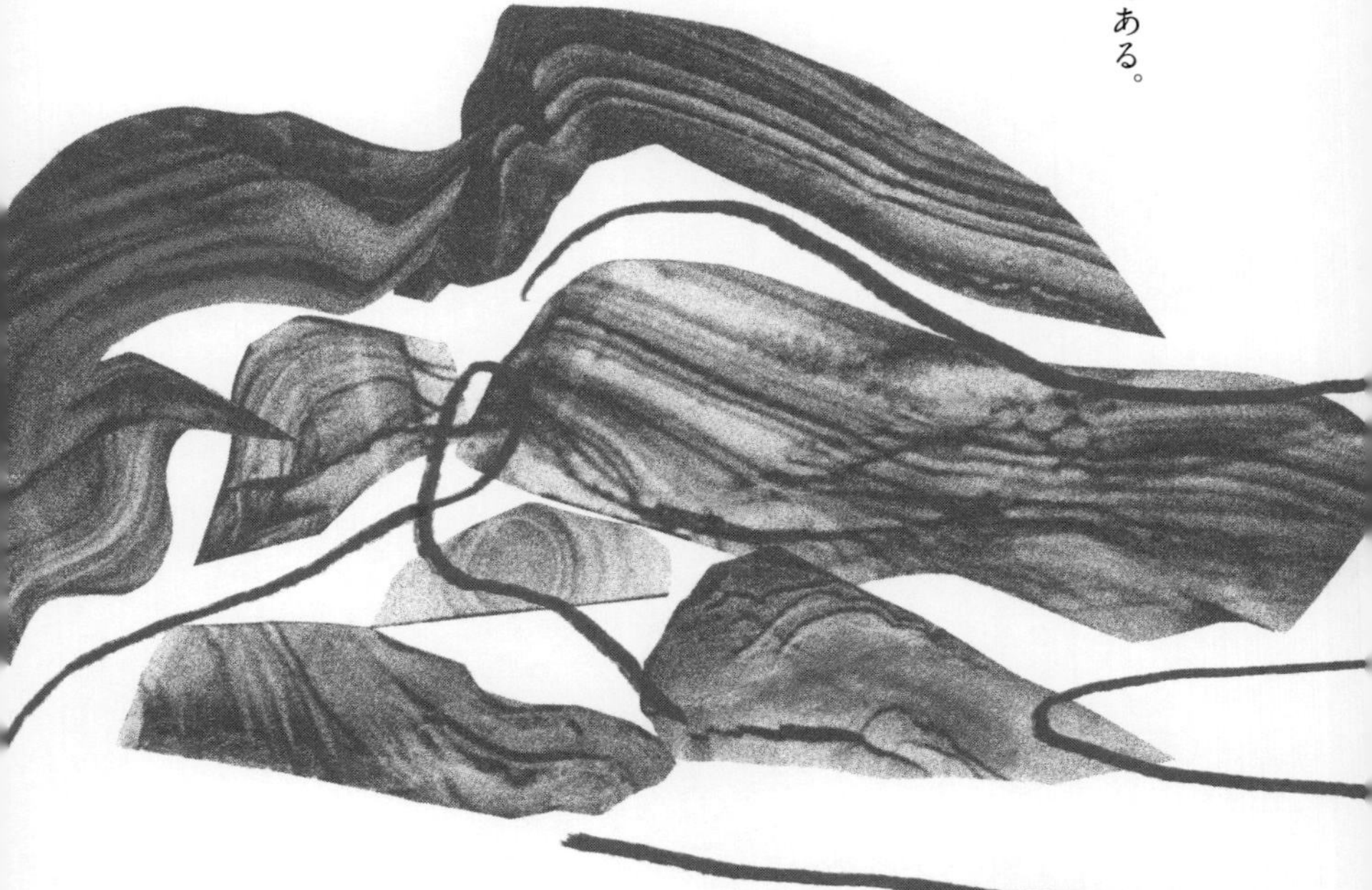

「소리」（ソリ）は音、声。

足音はパルソリ、風の音はパラムソリ、波の音はパドソリ。

歌声はノレソリ、鳥の声はセソリ。そういえば1章に書いた「せみの声が聞こえてきます」も、「ソリ」が出てくる例文だった。

ソリという言葉が好きだ。

ソリの中でも、特に人間の声だけを指すときは목소리《モクソリ》という。목《モク》は咽喉《のど》だから、モクソリは「咽喉の音」という意味。とても直接的な言葉だと思う。

モクソリは動物には使わないが、人間の声は単に「ソリ」といってもよい。

豊かなソリを持つ言語

音の豊富さ、激音と濃音《のうおん》

朝鮮《ちょうせん》語は豊富なソリを持つ言語だ。

朝鮮語の基本母音《ぼいん》には陽《よう》母音と陰《いん》母音がある。陽母音は明るく小さく軽い感じ。陰母音は暗く大きく重い感じを与《あた》える。たとえば「黄色い」というとき、陽母音の「노랗다」（ノラッタ）なら明るい黄色、陰母音の「누렇다」（ヌロッタ）は暗めの黄色を

指す。

また、朝鮮語の子音《しいん》19個の中には、平音《へいおん》、激音《げきおん》、濃音《のうおん》というグループがある。平音は普通《ふつう》の音、激音は「激しい音」と書くが、別になったり叫《さけ》んだりするわけではなく、発音するとき息が出ていれば激音だ。たとえば、「ㄱ」は、日本語のカ行の音とそれほどちがわないが、「ㄱ」に1本横棒を加えた激音の「ㅋ」を発音するときは、空気を強く出すように心がけて発音しないといけない。

一方、「ㄱ」を横に2つ並べると濃音の「ㄲ」となる。この音を発音するときには、のどを強く緊張《きんちょう》させて息が出ないように、つまった感じに発音する。頭に「っ」を入れて、「つか」とか「つき」と発音すると、少し似てくる。最初はなかなか発音が難しい。私もいまだにうまくできない。

日本語話者が激音と濃音をちゃんと発音したいと思ったら、強めに意識したほうがいい。前に、子ども連れで留学した人が「私の韓国語《かんこく》は犬にも通じない」と嘆《なげ》いていた。自分が犬の名前を呼んでも来ないのに、子どもが呼ぶと来るというのだが、それは「犬にも通じない」のではなく、「犬だから通じない」のだ。犬は相手によって聞き分けてくれたりしない。

ともあれ、これら激音と濃音を駆使《くし》することで、音のバリエーションが増え、まためりはりが出る。

SF作家のペ・ミョンフン（1978〜）は、「チャカタパの熱望で」（『最後のライオニ 韓国パンデミック小説集』キム・チョヨプほか著、斎藤《さいとう》真理子ほか訳、河出《かわで》書房《しょぼう》新社所収）という短編で、激音と濃音が存在しなくなった未来の韓国社会を描《えが》いている。

物語の中では、コロナ禍《か》のさなかに飛沫《ひまつ》感染を予防するため、つばが飛ぶ原因になる激音の「ㅊ《チャ》」「ㅋ《カ》」「ㅌ《タ》」「ㅍ《パ》」「ㅎ《ハ》」と濃音の「ㄲ《ツカ》」「ㄸ《ツタ》」「ㅃ《ツパ》」「ㅆ《ツサ》」「ㅉ《ツチャ》」の子音が禁止されている。主人公は未来社会の歴史研究者で、コロナ禍から長い歳月《さいげつ》が経《た》った後、韓国人がつばを飛ばして話していた時代のことを研究している。

小説の文章もつばの飛びそうな音を使わずに書かれているので、おそろしくまぬけな感じに仕上がっている。作者のペ・ミョンフンさんが実際に朗読しているのを聞いたら爆笑《ばくしょう》だった。ご本人は、「単に力を抜《ぬ》いて読むとこうなりますよ」と力を抜いて言っていて、なおさらおかしかった。

だが、これを翻訳《ほんやく》するのは難しい。悩《なや》んだ末、促音《そくおん》（「っ」）と半濁《だく》音《おん》（「ぱぴぷぺぽ」）を使わないという原則を立ててみた。促音を排除《はいじょ》すると「私はゼタイ（絶対）に嫌《いや》だた」とか「研究室がちょと特別なものになた」などとなり、また半濁音を追放すると「スポーツ」は「スホーツ」、「ディスプレイ」は「ディスフレイ」となって、まぬけさを再現することができた。

チェンチェン、チェンチェンと聞こえた音

陽母音と陰母音、激音と濃音によるバリエーションがあるため、朝鮮語のオノマトペや色の表現はとても豊かだ。日本語もかなりオノマトペが豊富だというが、朝鮮語はそれ以上だそう。

『すいかのプール』というおもしろい絵本を翻訳したことがある（『すいかのプール』アンニョン・タル著、岩波書店）。巨大《きょだい》なすいかを2つ割りにしたプールで子どもも大人も楽しく遊ぶというお話だ。例年、プール開きの前には、ひとりのおじいさんが「今年はどうかな」と初めてすいかに足を踏《ふ》みいれ、テストするのだが、その足音が「썩 썩」だった。

「ㅆ」が濃音なので「（っ）そっく、（っ）そっく」という感じになる。まあ、「そっく　そっく」でいいだろう。すいかの水気たっぷりの果肉を突《つ》きくずしながら歩いていく感じ。もちろん、すいかの中で歩いたことなんかないけど。

「そっく　そっく」は陰母音の擬音《ぎおん》語で、陽母音を使った「싹 싹」（さっく　さっく）というバリエーションもある。似ていてちがう。辞書を見ると「そっく　そっく」

は何かを「ざっくりと切る」感じ、「さっく　さっく」は「すぱっと切る」感じだと書いてあり、わかったようなわからないような。「そっく　そっく」は捨てがたかったが、連続して発音すると「くそっ　くそっ」になってしまうから（それもおもしろいんだけど）、「さっく　さっく」にしたのだった。「さく」ではなく「さっく」というところに、濃音の感じが残ってくれればいいと思って。

オノマトペは難しい。韓国に長年住んだ人でも使いこなすのは難しいと言うから、ましてや私など。だから迷ったときは複数のネイティブスピーカーに意見を聞くが、人によっても相当に感じ方がちがうのでまた驚《おどろ》く。

こんな私だが、１９９１年に韓国に住んでいたとき、オノマトペではっとするようなことがあった。

韓国で暮らしはじめて2か月ぐらい経ったころだと思う。大学のそばの小さな旅館の一室に住んでおり、部屋で昼寝《ひるね》をしていると、外から何か金属音が聞こえてきて目が覚めた。今はそのあたりもすっかり変わっているが、当時は古い住宅や小さい商店の密集地で、たぶんどこかの家が占い師《うらない》（巫堂《ムーダン》と呼ばれるシャーマン）を呼んだのだと思う。シャーマンの儀式《ぎしき》には伝統楽器がつきものなので、小さい銅鑼《どら》のような打楽器を誰《だれ》かがたたいていたんだろう。

その音が「チェンチェン、チェンチェン」と聞こえたことをはっきり覚えている。そして、目が覚めてとっさに、「前なら、カンカン、カンカンと聞こえたかも」と思ったことも。

ハングルで書けば、「쨍쨍」になりそうだった。新鮮《しんせん》だった。日本語の中で暮らしていたときには、カンカンとかケンケンとか、とにかく「k」系列に聞こえたんじゃないか。耳か脳のどこかが急に活性化して、今まで知らなかった方向へ走りだしたような気がした。

あとになって、「쨍쨍《チェンチェン》」は太陽が「じりじり」照りつけるような感じ、またはガラス製品が「がっちゃん」と割れるような感じだと韓国人の友人に教えてもらった。伝統金属打楽器の音としては、当たってなくもないが、大正解ではないらしい。じゃあ、こういうときどういう擬音語を使うのかというと、「꽹그랑꽹꽹《クエングランクエンクエン》」だそうで、なんてリズミカルなのだろう。

とはいえあのとき、ああ、日本語の皮を一枚脱《ぬ》いだのかなあと思ったことも事実なのだった。

日本語の五十音では掬《すく》いとれなかった、朝鮮語の膨大《ぼうだい》なソリの生態系の中に自分はいた。

だが、とっさに「쨍쨍じゃないかな」と綴《つづ》りを思い浮《う》かべたことからもわかるように、あの感覚はハングルの知識に導かれていた。それがなかったら、どうだっただろう。

朝鮮語のソリの深さ

佐多稲子《さたいねこ》が聞いた朝鮮語のジャンケンポン

今から84年前の1940年、作家の佐多稲子《さたいねこ》（1904〜1998）は、朝鮮総督《そうとく》府鉄道局の招きで朝鮮へ旅行した。旅の印象をいくつかのエッセイに書いているが、そのとき何度も、「言葉がわからない」「言葉が違《ちが》う」ことに驚いたと記している。

たとえば、子どもたちがジャンケンをしている。見ると手の形がグーチョキパーと同じだし、手を出すときにかけるかけ声の調子もよく似ている。だが、かける言葉が全然ちがうので「何だか変な気がした」というのだ。ちなみに朝鮮語のジャンケンポンは「カウィ・バウィ・ボ」と言い「はさみ・岩・布（ふろしき）」という意味だが、このとき佐多稲子が聞いた音がそれだったのかどうかはわからない。ともあれ「ジャンケンポン」とはまったくちがうと感じられたことは事実であり、そのことに対する佐多稲子の感想は次のとおりだ。

「言葉というものは、こんなにも厳然と違い得《う》るのかしら、というような驚き」。

そりゃ、ちがうに決まってるでしょうと今なら思うけれども、そのころは、朝鮮語を外国語と呼ぶことさえ、許されていなかった。

佐多稲子は、プロレタリア作家と呼ばれる、働く人々の側に立って作品を書く作家グループに属していた。日本による朝鮮植民地支配が朝鮮の人々をどんなに苦しめているかも知っていた。また、東京の下町で長屋に住む貧しい朝鮮人たちを近くで見ながら暮らし、詩や小説にその人たちのことを書いたこともある。

さらに、1940年というその時期は、日本政府が朝鮮語の使用を極限まで制限しようとしていたころにあたる。雑誌の記事も厳しい検閲《けんえつ》を受けており、そんなときに、「朝鮮語は日本語とこんなに違う」と強調するのは、朝鮮人を日本に同化させてしまおうとする政府に反論する、ぎりぎりの戦略だっただろう。

だとしても、朝鮮で出会った人たちが日本語をとても上手に使いこなしているのに、「急に仲間同士だけで、はげしく早く回転するように聞《き》こえる朝鮮語に変《か》わると、却《かえ》って妙《みょう》な気がした程《ほど》であった」と書いているところには、率直《そっちょく》な驚きが感じられる。

さっきまでマルの世界にいて、話が通じていたのに、急にソリだけの世界に置き去りにされたというような。

もしもこのとき、佐多稲子がハングルを知っていたら……と想像してみる。

1章で、ハングルを書く人を初めて見たとき私が「あ、ハングルって本当に文字なんだ」と思ったことを書いた。私だってあのときまでは、佐多稲子とそんなにちがわなかった。

佐多稲子がもしハングルの存在やそのしくみを少しでも知っていて、驚きの先へ一歩でも踏《ふ》みだすことができていたら。

21世紀の今ならそれはたやすい。本人がハングルを勉強しなくても、教えてくれる人が必ずいるだろう。ここまで来るのに、敗戦を中にはさんで84年もかかっている。なんてゆっくりなんだろう。どこかを植民地にするというしわざは、百年に及《およ》ぶ禍根《かこん》を残す。

佐多稲子はこの旅の途上《とじょう》で、平壌《ピョンヤン》の大同江《テドンガン》という大河で船遊びする人たちの様子を山のふもとから見た。その様子を「丁度《ちょうど》夕方でたくさんの夕涼《ゆうすず》みの舟《ふね》が川に出てくる。どの舟からも、かんちゃん、かんちゃんという風な太鼓《たいこ》や鐘《かね》の音が鳴り」と書いている。「かんちゃん、かんちゃん」は、私が聞いて쟁쟁《チェンチェン》だと思った音と似ていたのではないだろうか。そして、次の文章はこうだ。

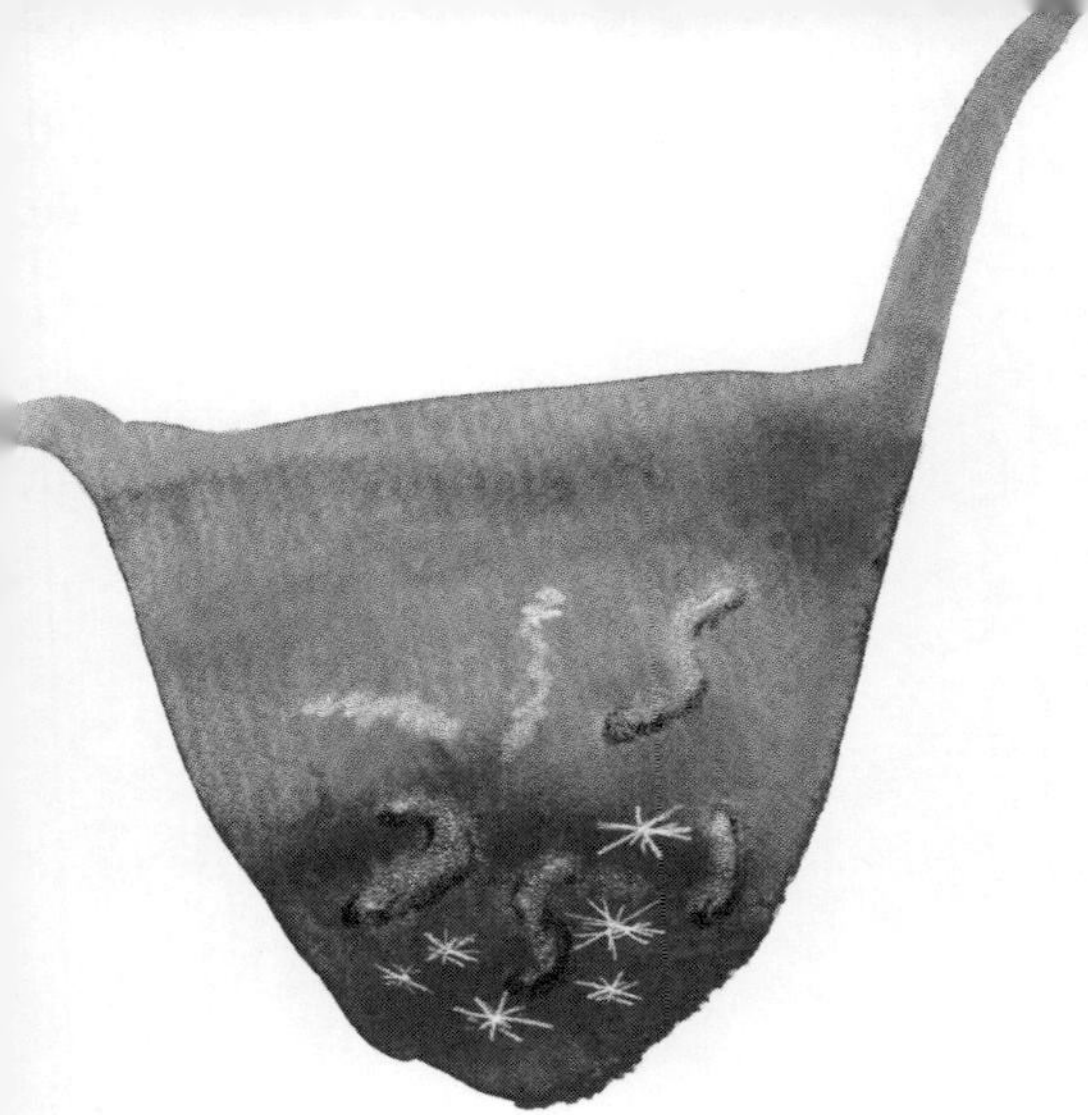

「人間の声というものを改めて聞き直すような唄声《うたごえ》が山の上まで響いてくる。男の声、女の声、それはただ私たちがアリランなどで感じている哀調《あいちょう》ともちがう。言葉の分《わか》らぬ故《ゆえ》もあるのか、生活から切り離《はな》して抽象的《ちゅうしょう》に『人間』というものを感じさせるそんな声である。ああ人間とはこんな声も出すのである」。

このとき佐多稲子は朝鮮語のソリから、今まで味わったことのない生命力のようなものを感じたのだろう。おぼろげにだが、そのソリの深さが想像できる。

K-POPもソリの力に支えられている

最近、俳優さんの声を聞いているのが快いからというだけの理由で韓国ドラマをずーっとつけっぱなしにしているという人と会った。

私も、好きな俳優さんが好きな小説を朗読しているオーディオブックを一日じゅうかけっぱなしにしたりしているから、よくわかる。

その朗読を聞いてると、一本の木の下にいるような安心感がある。根元はどっしりと安定し、枝先や葉っぱは繊細《せんさい》にゆれている。深いところでしっかり支えられているから、小声でささやいていても弱々しく感じない。

俳優さんの朗読がうまいのは当然かもしれないが、韓国の作家や詩人たちの朗読を聞いていても同じことをよく思う。作家たちはよく自作朗読をするし、その動画がYouTubeなどにもアップされているが、力《りき》まず抑揚《よくよう》をつけず淡々《たんたん》と読んでいるのに、小声であっても、ソリが深々としている。朝鮮語は腹式呼吸で発声するからそうなんだと言う人がいて、本当かどうかわからないが、深いところで支えられているからこそ、多彩《たさい》な母音と子音、激音や濃音の戯《たわむ》れが快く聞こえるようなのだ。

韓国の映画やドラマの人気は俳優の表現力の高さが支えているが、あれはそもそも、豊かなソリを発音することで鍛《きた》えられてきたんじゃないかと思う。

静かなソリにも激しいソリにも魅力がある。ソリの力は、K-POP人気を深いところで支えている。

これについては言語学者の野間秀樹《のまひでき》が、「韓国語のラップはなぜ刺《さ》さるのか」というテーマで見事に解明しているので、興味のある人はぜひ読んでほしい（『K-POP原論』ハザ(Haza)）。

その中からとてもおもしろかったことをひとつだけ挙げると、「音節末子音が全《すべ》て非開放子音である」ことが、「地球上の人々が韓国語に熱狂《ねっきょう》する秘密の一つ」だそうだ。

日本語では「ラップ」と言うとき、「ラ・ッ・プ」と3拍子《びょうし》になるが、朝鮮語では「랩《レプ》」と1音節になる。「レプ」で「プ」が小さくなるのだが、ここが「非開放子音」の勘《かん》どころだ。

英語で「rap」と言うときのpは、両唇《くちびる》を閉じてからわずかに開放する。だが、朝鮮語の랩《レプ》は、ㅂで閉じた唇を開かず閉鎖《へいさ》したままだ。朝鮮語では/p/, /t/, /k/, /m/, /n/, /ŋ/, /l/という7つの子音が、閉鎖するだけで開放しない。ここから「鋭角《えいかく》さ、緊張感」が生まれるというのだ。もうひとつ『K-POP原論』から例を挙げてみよう。

매니악《メニアク》！

日本語なら「マニアック」だが、朝鮮語では「メニアク」だ。「アク！」でビシッと止める、閉じる、そのバネの強さと敏捷《びんしょう》さ。躍動《やくどう》するソリが飛びだして突き刺さる、それがK‐POPの魅力だという。この力もまた、歌い手ひとりひとりの身体の奥深《おくぶか》いところで支えられているのだろう。

ソリはマルより体に近い

この「深々としたソリ」の魅力は、以前からたくさんの人が言及《げんきゅう》してきたことだ。

韓《から》くにのひとびとのぬくもりは深いが、なによりもまずわたしは、そのひとたちの声の深さを想《おも》い起こす。ある外国語に惚《ほ》れるということは、その外国語を話すひとびとの声に惚れることでもあると、思うのだ。

（小倉紀蔵《おぐらきぞう》『韓くに文化ノオト』ちくま文庫）

こう書くときに著者が想い起こしているのは、たとえば、銀行の窓口の女性職員が「オソ　オシプシオ（いらっしゃいませ）」と言っているだけなのに、「その音の麗《うるわ》しさは信じがたい」と感じてうっとりしてしまったこと。

それから、ラジオやテレビのアナウンサーの声。さらに、「真夏の街路で検問をする兵士の声」や「戦闘《せんとう》警察に逮《とら》われて叫ぶ女闘士の声」「デモに出陣《しゅつじん》する学生たちの声、声、声」に触《ふ》れて、「声が、社会にガリガリとひっかかっていた。声が、国家をつくっていた」と回想している。

私もそういうソリを、目をつぶるといくつも思い浮かべることができる。

もっとさかのぼって、1968年にソウルに留学し、『私の朝鮮語小辞典』という無類におもしろい本を残した朝鮮文学者の長璋吉《ちょうしょうきち》（1941～1988）は、朝鮮語のソリについて「肺の奥《おく》から、横隔膜《おうかくまく》の律動から声をつくりだすようなはなしぶり」「深いところから音がつくりだされる言語」と言う。ハングルは、この、ソリの秘密をとらえて視覚に焼きつけたシステムであるからこそ、唯一《ゆいいつ》無《む》二《に》なのだ。

音と形。

ハングルを見て発音する。それは、自分の体という「場」で音と形が出会ってスパークするという、ほかでは得られない経験だ。これも世宗《セジョン》大王とのチューニングかもしれない。

だが、それと同じ音が日本では、ほんの何十年か前まで、なんとなく汚《きたな》い、醜《みにく》いものとして受けとめられていたことも事実だ。不可解さや無関心。あるいは嫌悪《けんお》感や忌避《きひ》感。大多数の日本人が抱《いだ》いていたイメージは、朝鮮が植民地だったころから、少なくとも1990年代ごろまで、そんなものだったと言っていいだろう。

茨木《いばらぎ》のり子は『ハングルへの旅』の中でこんなことを書いている。

「『朝鮮語は――ダア、――ダアときこえますね』

『朝鮮語は――ムダ、――ムダばっかりですね』

これが日本人の耳にきこえる隣国語《りんこくご》の特徴《とくちょう》らしい」。

そして、

「また『おそろしく単調な音ですね』とも言われる。たいていは否定的なニュアンスを帯び、『あんまりきれいな響きじゃない』と言いたげである」。

この本が出た1986年としては、これはかなり控《ひか》えめな書き方ではないかと思う。もっと前の70年代、60年代、50年代とさかのぼればなおのこと。

茨木さん自身は「ひいきするわけではないが、私は綺麗《きれい》な響きだと思っているし」と書いているが、まあ、ひいきのうちに入るだろう。私自身もそうだと思う。そもそも、無条件にきれいな言語やきれいでない言語なんてあるわけがない。そう聞こ

えたり聞こえなかったりするのは、小倉紀蔵さんが言うように、結局、惚れているかどうかによる。

それでも茨木さんが「綺麗だと思う」と書いたのは、それを汚いと言いたい人たちがいたからでもあるだろう。

韓流ファンはソリを愛する。そして民族差別主義者はソリを蔑《さげす》む。

ソリはマルよりずっと体に近いところで好悪《こうお》を支配する。だから魅力的だし、だから怖《こわ》いのだ。

思いとソリ

ソリは思いのたけを抱《だ》きかかえている

ここからは少しちがう話になる。

ソリという言葉はとてもスペクトラムが広い。

「話」「言葉」という意味で日常的に使われ、その点で「말《マル》」と少し重なる。ここが、日本語の「音」や「声」と大きくちがう。

チャンソリは小言《こごと》、クンソリは無駄口《むだぐち》、ホッソリはうわごと、たわごと。人間味たっぷり。

あなたがもしも朝鮮語で会話していて、「そんなソリを言わないで」と誰《だれ》かに言われたら、「そんな寂《さび》しいことを言うなよ」となだめられているか、「そんな無理解なことを言っちゃだめだよ」とたしなめられているか、どっちにしろ人情に訴《うった》えられている可能性が高い。

「バカみたいなソリを言うな」と言われたら、しかられている。

「なんてソリだ!」と言われたら、「なんてことを言うの?=ひどいじゃないか」ということだから、相手を嘆《なげ》かせたり、怒《おこ》らせたりしている可能性がある。

ソリは「世論、主張、意見、気持ち」を指すことも多く、「少数者のソリにも耳を傾《かたむ》けなければ」とか「女性のソリを届ける」といった場合に使われる。これは日本語の「声」とほぼ同じ。「あの人たちのことでこんなソリを聞いたよ」などと、噂《うわさ》の意味で使うこともある。

「ソリを出す」といえば発議、たとえば、今まで顧《かえり》みられなかったことについて異議申し立てをすること。こなれた日本語にするなら「声を上げる」となる。

これらをまとめて大きく見れば、ソリとは、「人の思いのたけを伝えるもの」というニュアンスを持つ。ソリは陰影《いんえい》に富み、情報量が多い。ソリはときに、人そのもの。

言葉にできないこと、文章には書けないことが人生にはたくさんある。ソリはそれらのすべてを含《ふく》む。ソリはマルやクルを包み、含み、それと同時に、マルにできなかったこと、クルでは残せなかったことまでも抱《かか》える。マルやクルの背景には膨大なソリの層がある。

マルとクルのかけらを超《こ》えてソリが響いてくる

しかし、マルとクルとソリの関係は今、変化の中にある。

ソーシャルメディアの発達で、人がソリを上げることはずっと容易になった。戦争の現場からも、恐《おそ》ろしい暴力を告発する当事者からも、昔なら考えられなかった速さで、直接的に、マルやクルを不特定多数の人に届けることができる。

だが、そんなソリに、マルにもクルにもなっていない切れ端《はし》のようなもの、カスのようなもの、粉のようなものが襲《おそ》いかかる。ニュースに書きこまれる大量の差別コメント、またはソーシャルメディアの有名人のアカウントに書きこまれる大量の誹謗中傷《ひぼうちゅうしょう》コメント。それらがインターネット空間をびっしり埋《う》めつくし、前も見えない、息もできないような状況《じょうきょう》をつくっている。たとえば日本では、在日コリアンをはじめとする在日外国人へのヘイトスピーチがすさまじい領域に達している。

コメントのことを韓国では「댓글《テックル》」と呼ぶ。テックルは「受ける／当てる＋クル」という意味の造語だ。誹謗中傷を目的とする悪性のテックルは、クルの名にも値《あたい》しないクルだが、殺傷力が高い。

面と向かって言うマルならこうは言えない、宛名《あてな》をつけて送るクルならそうは書けないということが、匿名《とくめい》のネット空間なら発信できてしまう。

『82年生まれ、キム・ジヨン』（チョ・ナムジュ著、斎藤真理子訳、筑摩書房《ちくましょぼう》、のちちくま文庫）は韓国で100万部以上売れたフェミニズム小説だ。2018年に日本でも刊行されて多くの人が読んでくれた。

キム・ジヨンという、韓国ではとても平凡《へいぼん》な名前の女の人が、生まれて以来、家庭、学校、職場や新しい家庭で、「キム・ジヨンだから」ではなく「女性だから」という理由で経験した不本意なこと、つらかったことを、精神科医師が記した診察《しんさつ》カルテという形で淡々と書いた、変わったスタイルの本だ。

フェミニズムに対する男性たちの忌避感や嫌悪感はどこにでも存在するが、韓国の場合、男性にだけ兵役《へいえき》があることからくる不公平感がさらに拍車《はくしゃ》をかけているといわれる。『キム・ジヨン』は、強く支持されると同時にかなりのバッシングを受けた。韓国でこの本が出てから5年後、著者のチョ・ナムジュは、「誤記」というタイトルで、当時の様子を思わせる短編小説を書いた（『私たちが記したもの』小山内園子《おさないそのこ》・すんみ訳、筑摩書房所収）。

「誤記」の主人公は作家で、チョ・ナムジュ自身の経験と考えがある程度まで投影《とうえい》された小説と見ていいだろう。その中で主人公は次のように言う。

> 文章《クル》でできることがあると信じていたし、責任感を持って書くべき文章《クル》もあると思っていた。怖くて、孤独《こどく》で、虚《むな》しくなることは多かったが、読んで、考えて、問うて、記録として残そうと努めた。だが、敵意は好意よりはるかに強力だった。私が語っていない言葉《マル》が引用符《いんようふ》にくくられてインタビュー記事に載《の》り、私の小説にありもしない文章《クル》やエピソードがインターネットのレビューにアップされた。
>
> （ルビは引用者）

フェイクと敵意に満ちた、マルでもクルでもないものに対して、主人公がとった方法は参考になる。

ひとつは、悪意に満ちた誹謗中傷は公《おおやけ》の場にひきずりだして対処すること。主人公は結局、弁護士と相談して、誹謗中傷のテックルを書きこんだ人々を告訴《こくそ》した。一次告訴状は数百枚にも達した。初めのうちは、ネット上の誹謗中傷はそれほどダメージではないと思っていたのだが、「無視して暮らすほうが楽だって思うでしょ? 違うんです。対応して、抗議《こうぎ》して、告訴して、全力を尽《つ》くして生きてこそ楽になれるんです。そうすれば、人にやたらと揺《ゆ》さぶられることはありません」という弁護士の言葉を聞いて、考えを変えたのだ。

告訴する際は、具体的な脅《おど》しや性的な表現を伴《ともな》うケースを優先的に選んだ。そのほうが処罰《しょばつ》のレベルが上がるからだ。それに、誹謗中傷は示談《じだん》ではなくただちに告訴するという判断は、悪質な書きこみを減らすことにもつながるかもしれない。

もうひとつは、自分と直接つながっている人たちのソリを記憶《きおく》し、ソリの根拠地《こんきょち》を持つことだ。

実は主人公は、ネット上だけでなく、リアルの生活上でも、一種の誤読による人間関係のトラブルに悩《なや》んでいた。その解決に向けて一歩踏みだすとき、主人公が心の中で頼《たよ》ったのは、今までにサイン会で出会った読者たちのソリだった。ベトナムから来て韓国語はよくわからないという移民女性、工場の事故で指先を切断したという人、自分も#MeTooの告発者だという人。子どもを実家の母に預けているが、元気でいるのかどうかわからないという人。サイン会で交《か》わすことのできる言葉なんてひとことだけど、だからといって無意味なわけではない。それを言うためだけにやってきた人々のひとことの後ろには、ぶ厚いソリの層がある。

広大なソリの地層を想像して歩く

一日じゅうインターネット空間でマルとクルを操作することがあたりまえの世の中になって久しい。頭に浮かんだマルはすぐに指先でクルになり、そこにはほとんど時差がない。

ひと呼吸置いて、よく考えて、マルがクルになるまで待てたらよいけれど、それができないことも多い。そんな中で、思いと行いと言葉をどう駆《か》っていけばいいのか。正直、私もわからない。

だから、「言葉」「文章」「声」という母語を使って考えつづけて出口がないように思うとき、いったん考えたことを「マル」「クル」「ソリ」という朝鮮語に預けて、イメージを組み立ててみる。そこからまた母語に戻《もど》ってくる。気づくと私はずいぶん朝鮮語に頼《たよ》っている。母語でない言語を学ぶことは、そんなふうに助けてくれるこ

ともある。

ソリはマルにとても近く、しかしソリをマルにできないこともある。かと思えば、マルにできず溜《た》めていたソリが、時間を経てクルになることがある。会ったこともない人のクルから、ソリが聞こえることもある。

自分のマルにもクルにも嘘《うそ》があると思えて元気の出ないとき、私のソリは深いところで黙《だま》りこくってしまう。それを無視して話しつづけたら、おそらくソリは枯《か》れてしまう。

マル（話されたこと）とクル（書かれたこと）の核《かく》にソリ（思い）があるというイメージを持って、ソリに近づきたい。言えなかったマル、書けなかったクルを含む、広大なソリの地層を想像して歩く。ソリを聞きたいし、ソリを逃《のが》したくないので。

2章で触れたハン・ガンの『ギリシャ語の時間』の女性主人公は、身体的なソリを発することができなくなっている。読んでいると、子どもを手放すという体験をしたらしいことが、薄々《うすうす》わかる。そして彼女《かのじょ》がおそらく自分の命を絶とうとしたことも。こうした経緯《けいい》のどこかで誰かが言い放った言葉に対して、彼女の身体は次のように反応する。

「舌先とのど元から言葉がこぼれ出そうになるのを、ゆるんだふたのようなものの中から言葉が滑《すべ》り出して人を刺そうとするのを、刃《は》のような金属の匂《にお》いを放つ言葉で口中がいっぱいになるのを彼女は感じた」。

そして、ハン・ガンが描《えが》こうとしているのは、ひとりの人間の一度の喪失《そうしつ》体験だけではない。

言葉《マル》を失ったのは特定の経験のせいではないことを、彼女は知っている。数えきれない舌によって、また数えきれないペンによって何千年もの間、ぼろぼろになるまで酷使《こくし》されてきた言語というもの。彼女自身もまた舌とペンによって酷使し続けてきた、言語というもの。一つの文章《クル》を書きはじめようとするたびに、古い心臓を彼女は感じる。ぼろぼろの、つぎをあてられ、繕《つくろ》われ、干《ひ》からびた、無表情な心臓。そうであればあるほどいっそう力をこめて、言葉《マル》たちを強く握《にぎ》りしめてきたのだった。

（ルビは引用者）

マルとクルは根源的に、伝えられないものをも膨大に抱えているということ。だからこそマルもクルも、とほうもない長い時間の中で酷使されつづけてきたこと。あらゆる人間はマルとクルの酷使の歴史の尖端《せんたん》に生まれてきて、その続きを生きているのだということ。その中でときには、マルとクルの光を浴びること。

ハン・ガンが描きたかったのはそのことではないか。

見えるソリ、光るソリ

ソリは、必ずしも音声としてだけ存在するわけではない。沈《ちん》黙《もく》というあり方で存在するソリもあるし、表情やしぐさというソリもある。

ろう者の両親のあいだに生まれた映画監督《かんとく》イギル・ボラは、『きらめく拍手の音《ソリ》』というドキュメンタリー映画をつくった。イギル・ボラは「コーダ」(CODA : Children of Deaf Adults)、つまり聴覚障害《ちょうかくしょうがい》を持つ親のもとに生まれた聴《き》こえる子どもで、母語は韓国手語《しゅご》だ（日本では「手話」というが、韓国では「手語」と呼ぶ。韓国手語は韓国語と並び、大韓民国の公用語である）。

映画『きらめく拍手の音』は、聴こえない母と父がどうやって成長し、手語を覚え、出会って結婚《けっこん》し、聴こえる子どもたちをどうやって育てたかをたどっていく。そして、監督自身と弟が、母語として手語を覚え、両親の通訳役を務め、あるいは務

めず、何を考えて成長したかを描く。こうやって、手語という言語がひとつの文化であることと、それを使って生きる人たちの尊厳を描いた。

映画のタイトル「きらめく拍手の音《ソリ》」とは、両腕《りょううで》を上げて手のひらをひらひらと左右に動かす手語だ。彼女はお父さんと一緒《いっしょ》に訪《おとず》れたアメリカのろう者のイベントで実際に、大勢の人の手がいっせいにひらひら、きらきらと光る、そんな喝采《かっさい》を目撃《もくげき》した。

見えるソリ、光るソリ。

どのような言語をもって生きている人にもソリがある。人の生きる芯《しん》にあるのがソリ。

そうしてソリはときどき、詩になる。

4章

詩 시 シ

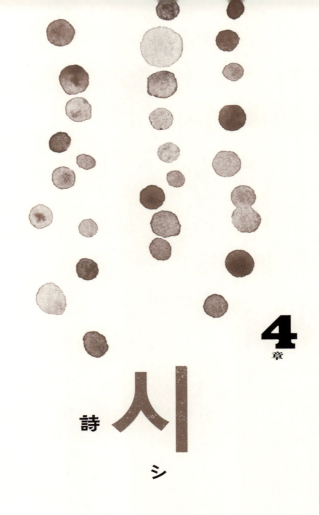

韓国《かんこく》は詩の国

なんであんなに詩があふれていたのかな。

そう思うことがある。

バブル崩壊《ほうかい》直前の１９９１年。私は出版関係をはじめいろいろな仕事をしながら朝鮮《ちょうせん》語の勉強も断続的に続けていたが、このまま日本で働いていても先が見えないような気がして、延世《ヨンセ》大学語学堂に語学留学した。ソウルには1年半近く住んだ。

２章で書いたとおり、大学４年生のときは、たった２週間の旅行でぐんと言葉が上達したと思って舞《ま》いあがった。だが、30代になってからのこの留学では、読解はそれなりにできたと思うが、聞きとりも暗記もまるでだめで、教室で泣きそうになることさえあった。その代わり、なにか思いつくことがあると朝鮮語で詩を書いた。

それがあとになって一冊の本になったが、あれは自分が書いたというより、ソウルのいたるところに漂《ただよ》っていたものだという気がする。空気の中に「詩成分」がたっぷり含《ふく》まれていて、歩いているだけで吸いこんでしまうような感じ。そうやって詩

がたまるので、吐《は》き出さないといけないような感じ。

たとえば、大学生だった女性の知り合いと一緒《いっしょ》に散歩していたときのことだ。大きなプラタナスの木が立ち並ぶ道を通りながら、「ここは6・25《ユギオ》のとき、大きい病院があったらしいんです。そのとき大勢の人が亡《な》くなって遺体を埋《う》めたので、だからここの木はよく育ったと、両親が言っていた」と、その人が教えてくれた。「6・25《ユギオ》」とは、朝鮮戦争のことだ。戦争が1950年の6月25日に始まったことからそのように呼ぶ。こう言われてふと思いだすのは「8・15」だが、それは第二次世界大戦の終わりの日付で、開戦の日を呼ぶ言葉は日本にない。朝鮮戦争はいまだに休戦状態で、終わったわけではなく、ずっと開戦の日付で呼ばれている。

そういうことが脳内で一度にぐるぐる回るが、プラタナスの見事な葉っぱを見あげたままでマルにならない。マルにはならないが詩にはなって、最初は日本語で書いてから朝鮮語に直して人に見せていた。そのうち、翻訳《ほんやく》しにくい単語を避《さ》けるようになり、それならばということで、最初から朝鮮語で書くようになった。

それまで私は日本語でも一冊詩集を出していたけど、ソウルではその比ではなく詩が書けた。

韓国《かんこく》は詩の国。それは自分の実感として思うことだ。

街に詩の言葉があふれている

「시」（シ）は詩。

朝鮮語でも日本語でも詩はシ。

詩と小説をくらべたら、詩の歴史のほうがずっと深くて広い。クルができるずっと前から、詩はソリを運んでいた。詩はソリの近くにあり、マルとクルの初源のころから人類が持っていたアートの形だ。

詩というと、「よくわからない」と身構える人が多い。でも、詩には実にいろんな種類がある。絵にいろんな種類があるのと同じだ。それをひとまとめにして「絵はわかりません」と言う人は少ないだろう。詩も同じで、誰《だれ》にも、これはわかる、これは好きという種類のものが必ずあると思う。日本では詩に触《ふ》れる機会が少ないだけのことだ。そして韓国という国では、詩に触れる機会が多い。

朝鮮半島でも日本列島でも古来、詩といえば漢詩のことだった。漢詩を上手につくることは知識人の条件だった。近代化に伴《ともな》い、西欧《せいおう》の詩に影響《えいきょう》を受けて自分たちの言葉で近・現代詩をつくるようになり、今の世の中で詩といえばそれを指す。「時調《シジョ》」という伝統的な定型詩もあるのだが、現在の韓国ではつくる人が少なく、日本の短歌・俳句人口とは比べものにならないそうだ。韓国ではずっと一貫《いっかん》して、自由形式の現代詩が熱心に書かれ、読まれ、文学の中心にある。

詩人の茨木《いばらぎ》のり子は1990年に、自分の好きな12人の詩人の作品を選んで訳した『韓国現代詩選』というアンソロジーを出したが、そのあとがきに「隣国《りんごく》のひとびとの詩を好むこと尋常《じんじょう》ならず」と書いている。それは今も基本的に変わらない。

文学史の本を見ると、時代ごとにまず詩が、次に小説のことが解説されている。書店の詩のコーナーはとても充実《じゅうじつ》していて、熱心に立ち読みする人たちがいるし、大手出版社が出している詩集のシリーズはタイトル数が500とか600とかに及《およ》ぶ。新聞社などが主催《しゅさい》する大きな新人文学賞には必ず詩の部門と小説の部門がある。読み、書くだけでなく、詩を「使う」機会が多い。多くの詩集は薄《うす》くて安く、日本円で1000円を切るものもあるので、友だちへのプレゼントにいい。ちなみに韓国では本に消費税はつかない。

正方形の付箋《ふせん》に気に入った詩を書いて、カフェの壁《かべ》に貼《は》ったりするのは定番だ。地下鉄の駅のホームドアに有名な詩が刻まれている。ソウルのど真ん中の大広場に面した大型ビルの壁にも、掲示《けいじ》されている。

街に詩の言葉があふれているからといって、人々がみな詩を愛好しているのかどうかはわからない。1980年代や90年代に比べたら、詩の存在感はぐっと薄れたという人もいる。確かに私も、詩がまさに武器だった80年代や、100万部単位のベストセラー詩集が出た90年代を知っているので、そうかもしれないと思う。でも、日本と比べたとき詩のプレゼンスはきわだっている。

小説の中で詩が引用されていることはとても多い。詩人の名前や詩集のタイトルを出すだけで特定の時代の気分を表すこともできる。読者がその詩人や詩集を知っていることが前提になっている。

子どものための「童詩」というジャンルが確立されていて、専門の詩人がいる。絵本仕立てのものなどさまざまな童謡《どうよう》集があり、子どもたちはそれを通して、散文とはちがう文章のリズム、つまり韻律《いんりつ》を学ぶ。授業で詩を書くことも多い。

学校で習う文学作品のうち、小説と詩の比重は同程度だという。大学入試の国語にも現代詩が出るので、受験対策としてもたくさん読まされる。これで詩が嫌《きら》いになっちゃう人も一定程度いるだろうが、そのとき否応《いやおう》なく覚える詩もあるだろう。

最近は、ドラマの中で引用されたり、K-POPスターが愛読しているという詩集がベストセラーになることも増えている。

こういうことを列挙していけばきりがない。

声に出して読まれることで詩は命をのばす

知り合いの韓国人とそういう話をしたら、「ああ、詩ね、韓国は詩、多すぎ」と言って笑っていた。でもちょっとつっこんで聞くとその人もやっぱり詩に詳《くわ》しくて、ちゃんと暗記していて、いい声で朗誦《ろうしょう》してくれたりする。好きな詩の2つや3つすぐに朗誦できるのは世界のスタンダードだと思うが、日本ではめずらしいことだ。この点は日本がちょっと特異なのかもしれない（短歌や俳句なら挙げられる人も多い）。

この人が朗誦してくれたのは「人と人の間に島がある／その島に行きたい」という2行だけの詩で、これは鄭玄宗《チョンヒョンジョン》（1939〜）という人が書いた「島」という有名な詩だ。「若くてなんにもわかってなかったころ、こういうのが好きだったね」と彼《かれ》は笑いながら言うが、「그《クー》 섬에《ソメー》 가고《カゴ》 싶다《シプター》」（その島に行きたい）と抑揚《よくよう》をつけて気持ちよさそうに読みあげると、一瞬《いっしゅん》、あたりの空気が変わる。短い詩なのでごく一瞬だけれど。

詩は、声《ソリ》に出して読まれることで命をのばす。朝鮮語の豊かな響《ひび》きはその快楽を支える。

申東曄《シンドンヨプ》（1930〜1969）という詩人の代表作に、「抜《ぬ》け殻《がら》は去れ」というのがある。とても有名で、これなんかは私でも暗誦できる。

この詩は、1960年に起きた**4・19革命**（四月革命）の精神、つまり民主主義を強く祈求《ききゅう》する精神を代弁する作品といわれる。

4・19革命

1960年の4月19日、李承晩《イスンマン》大統領（当時）がもくろんだ不正選挙に反対するデモが全国で高潮し、大統領を辞任に追いこんだ事件。死亡者186人という犠牲《ぎせい》とひきかえに、民主化への機運は大いに高まったが、翌年に朴正熙《パクチョンヒ》が軍事クーデターを起こしたために革命は終わりを告げた。

詩「抜け殻は去れ」は、事件から7年後に発表されたもので、「四月も　中身だけが残って　抜け殻は去れ」という一節がとても有名だ。つまり、うわべだけ4・19の精神をひきついだように見せかけようとする政治家や、生ぬるく虚飾《きょしょく》に満ちた社会を痛烈《つうれつ》に批判しているわけだ。ここでは「4月」というだけで4・19革命の比喩《ひゆ》になっている。ちなみに、「5月」といえば光州事件の比喩だ。

「껍데기는《コプテギヌン》　가라《カラー》（抜け殻は去れ）」

声を上げ、語尾をのばして読みあげると、私のような発音の悪い者でさえ「朗々」

という雰囲気《ふんいき》になってくる。それにつれて気持ちが高揚する。この詩はもう、誰が読んでもそうなるようにできている。

朗々としているばかりが詩ではない。高揚して踊《おど》るようなリズムであれ、地を這《は》いつくばるようなリズムであれ、詩には韻律が伴う。韓国の人たちは、それを体で味わう楽しさをよく知っている。そんなノリの良さが、詩を愛する心を支えている。

映画『チャンシルさんには福が多いね』（キム・チョヒ監督《かんとく》）には、主人公のチャンシルと大家さんが詩をめぐってやりとりするシーンがある。チャンシルは仕事一筋に生きてきた女性の映画プロデューサーだが、チームを組んでいた監督が亡くなり、失業してしまう。そこで家賃の安い家に引っ越《こ》すのだが、そこの大家さんが高齢《こうれい》の女性で、小さいときに学校に行けなかったのか、今、ハングルの教室に通っている。独り身どうしの女性はなんとなく助けあって暮らし、チャンシルは大家さんの宿題を手伝ったりする。そしてある日、詩を書くという宿題が出た。

「短く書けばいいのか、長く書けばいいのかもわからない」と困っている大家さんを、チャンシルは「思ったことを書いてみてください」と励《はげ》ます。そして大家さんが書きあげた詩を見て、チャンシルは泣いてしまう。

「人も　花のように　再び戻《もど》ってくるものならば　どんなに良いことでしょう……」

チャンシルも大家さんも、大切な人を失った経験がある。綴《つづ》りはまちがいだらけだったが、この詩は2人の関係をぐっと近づける。このときも大家さんがしっかりとリズムをつかんで朗読していて、まことにノリが良かった。

俳優さんだから当然と思うかもしれないが、韓国の普通《ふつう》の市民が「詩の朗読」といったらこんなふうに読むだろうな、というスタンダードな線をきちんと押《お》さえた演技と思った。

「イタい人」と「痛い人」

でも、もちろん、ノリがいいからだけではない。

何年か前、ある日本の文学関係のイベントで、「なぜ韓国ではそんなに詩がよく読まれるのでしょうか」という質問が出たことがある。そのときひとりの韓国語翻訳《ほんやく》者が、「痛い人が多いからです」と答えた。するとその場に、静かな笑いがいっせいに広がった。

この笑いは誤解に基《もと》づくもので、その後誤解は解けたのだが（と信じているが）、それは、日本語と朝鮮語の「痛い」の意味が微妙《びみょう》にちがうことによるものだ。「痛い人が多いから」と答えた翻訳者は、韓国留学の経験があり、そのときもたぶん朝鮮語で思考していただろうと思う。

今、日本語で「痛い人」と言ったら、「イタい人」ということになってしまう。空気を読めない場ちがいな行動で周囲を気まずくさせる人とか、ばかにされているのに気づかない人とか。

だが、朝鮮語で「痛い」を表す形容詞「아프다《アップダ》」にそんな意味はない（日本語の「痛い」にだってもともとはなかった）。そして「アップダ」は、日本語の「痛い」よりずっと守備範囲《はんい》が広い。

日本語の「痛い」は、頭痛や歯痛などの痛みを指し、吐き気やめまいなどは指さないが、朝鮮語の「アップダ」はそれらすべてを含み、具合が悪い、病気だということを指す。

病院で医師に「어디가《オディガ》 아프세요?《アップセヨ》」（どこが痛いのですか）と聞かれたら、痛覚に限定せず「具合の悪いのはどこですか」という意味になる。「母が痛いので実家に帰ります」と言えば、「お母さんが病気だ」という意味だ。

さらに、「アップダ」は、精神的な苦しさ、つらさをよく語る言葉でもある。

私が初めて韓国を訪《おとず》れたのは、1982年だった。そのことをある人に話したら、「それは韓国がいちばん아픈《アップン》 시대《シデ》（痛い時代＝つらい時代）でしたね」という返事が返っ

てきた。これを「イタい時代」と受けとったらたいへんな勘《かん》ちがいになる。なぜ韓国では詩がよく読まれるか。それはもう、「痛みを知る人が多かったから」と言ってよい。

植民地支配の下《もと》で書いた詩人

歴史の痛みと詩人の役割

2章でも書いたように、近代以降、朝鮮半島の歴史は激痛の連続だった。詩人はいつも、痛みを表現し、代弁する人だ。そのことで尊敬もされたし、そのために受難者になることもあった。

植民地時代の詩人たちの中には民族独立運動家が少なく、監獄《かんごく》で死んだ詩人もいた。1940年代に入ると日本語での創作が強制され、著名な詩人たちは筆を折ってしまった。

1945年に日本による植民地支配は終わるが、解放されたと思ったら朝鮮半島は南北に分断されてしまい、過酷《かこく》な朝鮮戦争を経験し、その後は軍事独裁政権の支配下で自由と人権が守られない状態が続いた。この時期、痛烈《つうれつ》な政府批判の詩を書いて死刑《しけい》宣告を受けた金芝河《キムジハ》（１９４１〜２０２２）という詩人がいる（死刑は免《まぬか》れたが、ずっとあとになって、民主化運動をおとしめる発言をしたというので名誉《めいよ》が地に落ちたこともあった。それほど詩人の責任は重い）。

詩人は啓蒙《けいもう》者であり、抵抗《ていこう》者であり、人々の精神的支柱だった。だからなのか最近も、文化体育観光部長官という国の要職に就《つ》く詩人がいたり、大統領が北朝鮮を訪問するときに随行《ずいこう》する詩人がいたりした。いずれも、時代を代表する知識人として、敬《うやま》われている。

誰もが知る植民地時代の詩人といえば、たとえば１９１９年の３・１独立運動（49〜50ページ参照）の際に「朝鮮独立宣言書」（己未《キミ》独立宣言書）の起草において中心的役割を果たした韓龍雲《ハンヨンウン》（１８７９〜１９４４）。独立運動家であり、僧侶《そうりょ》でもあった。代表作『ニムの沈黙《ちんもく》』という詩集がとてもよく知られている。「ニム」とは「あなたさま」という意味の呼称《こしょう》であり、『ニムの沈黙』は愛する人に女性が呼びかけるスタイルで書かれた詩集だが、「ニム」とは祖国や独立を表すと解釈《かいしゃく》されることが多い。

ニムは去りました。ああ、愛する私のニムは去りました。
　山の青さを割り裂《さ》いて　もみじの林に続く小道をたどり　ついに振《ふ》り切って去っ

ていきました。

（中略）

私たちは出会いのときに別れを気にかけ　別れのときにはまたの出会いを信じます。

ああ、ニムは去ったけれど　私がニムを去らせたのではありません。

抑《おさ》えられずに湧《わ》き上がる私の愛の歌は　ニムの沈黙を抱いてめぐります。

李相和《イサンファ》（１９０１～１９４３）の代表作「奪《うば》われた野にも春は来るか」は、歌になって今に至るまで親しまれている詩だ。春の野原を歩くみずみずしい喜びを描写《びょうしゃ》したあと、「しかし野は奪われ　春も奪われるのか」という一行で終わる。「野」が何のたとえであるかは明らかだ。この人も独立運動家だった。

李陸史《イユクサ》（１９０４～１９４４）も独立運動家だった。私にとっては、「旅程記」という詩の「生命はさながら難破船の破片」という一行で忘れがたい詩人だ。ペンネームの「ユクサ」は、初めて投獄されたときの囚人《しゅうじん》番号「６４」と同音。１９４４年に北京《ペキン》の日本領事館地下の監獄で獄死してしまった。

また、近年再評価が進んでいる金明淳《キムミョンスン》（1896〜1951）の「遺言《ゆいごん》」という詩の、「朝鮮よ、お前との永訣《えいけつ》のときには／私を川ばたに突《つ》き倒《たお》し、血を抜き／ことされたその死体までも虐待《ぎゃくたい》するがいい」という激しさ、呪詛《じゅそ》の深さ。金明淳は朝鮮半島のフェミニストの先駆《せんく》者のひとりだ。だが、男性たちもみな屈辱《くつじょく》に耐《た》えていた植民地で、新しい生き方を求める女性は二重の偏見《へんけん》・反感にさらされた。家父長制に強く抵抗した金明淳は故国では受け入れられず、ほとんど亡命のようにして東京へ渡《わた》り、生活に苦しみ、心を病み、1951年に青山脳病院で死亡したと伝えられている。

ほんの一部を切りとって示すのはよくないやり方かもしれないけれど、どの詩も、痛みを糧《かて》として結実したものであることはわかるのではないだろうか。

李箱《イサン》と尹東柱《ユンドンジュ》の35年

そして、韓国で最も親しまれてきた詩人といえば、李箱《イサン》（1910〜1937）と尹《ユン》東柱《ドンジュ》（1917〜1945）の2人だ。2人とも若くして亡《な》くなったので、永遠の青春詩人だ。映画はもちろんオンラインゲームやミュージカルの主人公になったり、さまざまな関連グッズも売られていたりして、文芸アイドルともいえる。

作風は正反対だが、2人のあいだには共通点が多い。

まず、生前はほぼ無名で、一冊の詩集も出ていなかったこと。

没後《ぼつご》しばらくしてから詩集が出て有名になり、今では国を代表する文学者であること。

そして、同じ27歳《さい》で日本で亡くなったこと。

さらに、その死に日本の警察が強く関与《かんよ》していることだ。

李箱《イサン》は1910年、当時の京城《けいじょう》（現在のソウル）生まれ。朝鮮総督府《そうとく》で建築関係の仕事をした後、喫茶《きっさ》店の経営などをしながら詩と小説を書いていた、当時の言葉でいえばモダンボーイである。健康問題、実家の困窮《こんきゅう》、恋愛《れんあい》問題などで悩《なや》みが尽《つ》きなかったが、1936年になぜか突然《とつぜん》東京へやってきた。

東京への幻想《げんそう》はすぐに裏切られ、1937年の2月、おでん屋で飲んでいたところを警官に見とがめられ、西神田警察に1か月あまり勾留《こうりゅう》された。もともと結核《けっかく》だった李箱はたちまち健康を悪化させ、釈放後も健康が回復せず、同年4月、東京帝国《ていこく》大学の附属《ふぞく》病院で死んだ。生きているときはまったくの無名に近かったが、現在、韓国で小説を対象とする最も権威《けんい》ある賞は「李箱文学賞」だ。

李箱の詩はいつ読んでもわけがわからない。たとえば、こんな感じ。

患者の容態に関する問題

1111111111・
222222222・1
33333333・22
4444444・333
555555・4444
66666・55555
7777・666666
888・7777777
99・88888888
0・999999999
・0000000000

診断《しんだん》　0：1

26.10.1931

以上　責任医師　李箱

李箱の詩は、１９２０年代ごろから世界に広がった新しい文学の潮流の中に位置づけることができる。感情を抑《おさ》えた言語実験のような性格を持ち、不気味な予言みたいに、約100年後の私たちの前にある。「診断　0：1」ってなんのことだろう。それを考えることは、100年前の詩人から託《たく》された想像力の冒険《ぼうけん》だ。

一方、尹東柱《ユンドンジュ》は清らかな祈《いの》りとまっすぐな志の詩人だ。李箱とは逆に、言葉はやさしいが、実は解釈の難しい作品が多い。ひとつを選びづらいが、最も有名な「序詩」の全文を挙げておく。

序詩

死のその日まで、空を見上げて
一点の恥《はじ》もありませんよう。
葉っぱをそよがす風にさえ
ぼくの心は苦しんだ。
星を歌うような心で
すべての死んでゆくものを愛さなくては
そして　ぼくに与《あた》えられた道を

歩いていかなくては。

今夜も星が風にさらされている。

尹東柱は1917年に中国と朝鮮の国境地帯に位置する北間島《プッカンド》地方に生まれた。ここは、植民地化で土地を失った朝鮮の人々が続々と移り住んだ土地で、尹東柱の祖父もそのひとりだった。尹東柱は、今の言い方でいえば中国朝鮮族だ。

京城の延禧《ヨニ》専門学校（現在の延世《ヨンセ》大学）で学んだ後、1942年に日本に来て、同志社大学で英文学を専攻《せんこう》したが、43年に朝鮮独立運動をやったという疑いで逮捕《たいほ》された。結局、治安維持《ちあんいじ》法違反《いはん》で懲役《ちょうえき》2年の判決を受け、福岡刑務所で服役中に獄死した。

独立運動といっても、具体的な行動を起こしたわけではない。そんなことできっこない時代だった。尹東柱は詩集を出したいと思っていたが、朝鮮語で作品を書くこと自体が許されない時代だったから、出版はあきらめ、自作を3冊の手書きのノートにまとめていた。それらが、現在も愛読されている詩集『空と風と星と詩』のもととなっている。京都の下鴨《しもがも》警察署で尹東柱が、警察の指示で、押収《おうしゅう》された自分の詩を日本語に翻訳させせられている姿を目撃《もくげき》した人もいるという。

あと半年で戦争も植民地支配も終わるという１９４５年２月、尹東柱は謎《なぞ》の死因で亡くなった。看守が、何か大声で叫《さけ》んで絶命したところを目撃している。日本からの解放後、１９４８年に出版された詩集は熱烈な人気を集め、以後、尹東柱の名声が衰《おとろ》えたことはない。

李箱は閉じこめられて出口のない焦燥《しょうそう》を、尹東柱は、必ず到来《とうらい》させたい新しい世界への渇望《かつぼう》を、詩でしかできない方法で書いた。

改めて、27歳で死んだ２人の年譜《ねんぷ》を並べてみよう。

李箱は１９１０年、韓国併合《へいごう》条約が結ばれ、朝鮮の植民地支配が始まったちょうど１か月後に生まれた。そして尹東柱は１９４５年、植民地支配が終わる半年前に死んだ。彼らの生きた歳月は、35年にわたる植民地支配の始まりと終わりをぴったりマークしている。

現代史の激痛と文学

文学史上の南北分断

２人とも、短い人生のあいだによくこれだけの作品を残したなあと思う。そして、

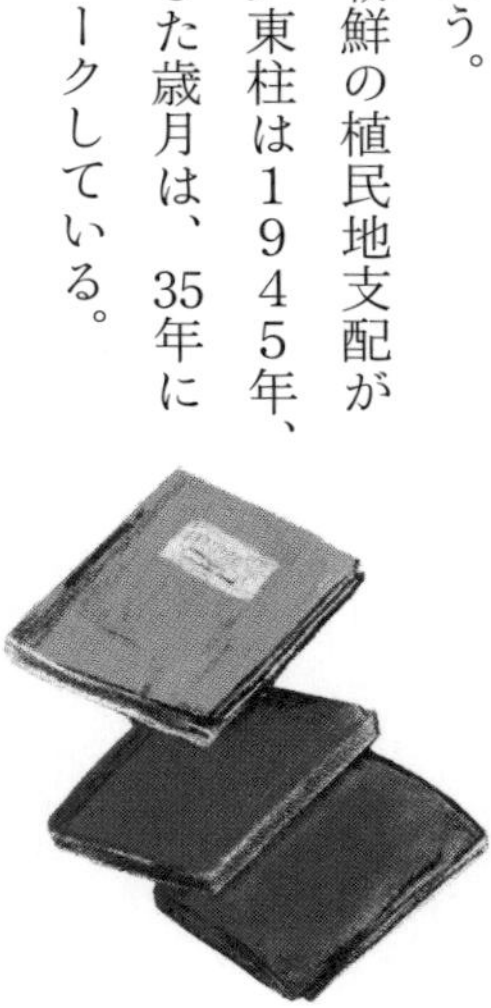

もっと生きていたらどんなものを書いただろうかと思う。と同時に、それを想像すると苦しくなる。２人が生き続けたと仮定しても、その後の歴史がつらすぎるからだ。

韓国の文学史のすごいところは、文学史を記述しているだけなのに、それが現代史そのものになってしまうことだ。

李箱と尹東柱が死んだ後、朝鮮半島から日本は出ていくが、それがまっすぐに独立につながることなく、紆余曲折《うよきょくせつ》を経て南北に分断されてしまった。文学者も例外なくそれに巻きこまれたが、厳しく批判されるとか、執筆《しっぴつ》の機会を失うといったレベルではすまず、生命を失った人さえ少なくない。

解放から朝鮮戦争の時期を通して、大勢の文学者が南から北へ移動した。文学者だけに限らず、芸術家や知識人の多くが同様の行動をとった。世界的に見て、共産主義、社会主義へのあこがれや期待が高まっていた時期のことで、日本も例外ではない。だが、南から北へ行った人たちの多くがその後政治抗争《こうそう》に巻きこまれ、執筆の機会を失った。極端《きょくたん》な場合には、スパイ容疑で死刑になった人たちもいる。

さらにつらいのは、これらの人たちの作品がその後すべて、南で読めなくなったことだ。

北へ行った人々は「越北作家《ウォルブク》」と呼ばれ、その作品は、解放前に出版されたものを含《ふく》めて、専門的な研究対象としてはともかく、一般向けの出版が禁止された。文学史に名前が出るときには「金〇〇」などと伏《ふ》せ字にされた。

また、李箱と深い縁《えん》のあった先輩《せんぱい》詩人の鄭芝溶《チョンジヨン》（１９０３〜１９５０）と金起林《キムギリム》（１９０８〜１９５０）は、朝鮮戦争の際に朝鮮民主主義人民共和国（北朝鮮）側に拉致《らち》されて行方不明になった。しかし、自分の意志で北へ行ったと誤解されたため、やはりその著書の出版は禁じられた。現在は２人とも、拉致後まもなく死亡しただろうという見方が定説となっている。

その後長いあいだ、かつてたくさんの人に愛読された作家や詩人の代表作が、教科書にも文学全集にも載《の》っていない、引用もできない状態が続いた。

たとえば太宰治《だざいおさむ》とか宮沢賢治《みやざわけんじ》とか、読んでなくても誰もが名前ぐらい知っている、そんな存在が消された世界を想像してみよう。30年の空白の後、突然、「実はこんなすごい作家が、詩人が、いたんだよ」と言われて、どうしたらいいんだろう。

韓国の文学史は、こういう過程とその後を歩んできて今に至っている。民主化後の１９８８年、韓国政府は１２０人あまりの越北作家が解放前に発表した文学作品について、全面解禁措置《そち》をとった。今ではそれらの人々の作品が教科書にも載り、広く読まれるようになった。

北朝鮮でもまったく同じことが起きていたが、現在は徐々《じょじょ》に作家の名誉《めいよ》回復が進んでいるそうである。南北それぞれに文学史の空白があった。

李箱と尹東柱が韓国でずっと愛されてきたのは、2人が解放前に死んだため、この大混乱に巻きこまれなかったからとも言うことができる。それを考えるとさらにつらくなる。

朝鮮戦争の傷跡《きずあと》

詩人たちの苦労は並大抵《なみたいてい》ではなかったが、それはもちろん詩人だけに限らない。朝鮮戦争は、朝鮮半島に住む人たちにも、そこを離《はな》れて日本やほかの地域に暮らすコリアンたちにも、本当に大きな苦しみをもたらした。

戦争は、1950年6月25日未明、北朝鮮の軍隊が38度線を越《こ》えて韓国側に侵入《しんにゅう》したことから始まった。開戦直後は北朝鮮が圧倒的《あっとう》に優勢だったが、その後、アメリカのマッカーサー率いる国連軍の助けで韓国側が盛《も》り返し、次は中国の人民志願軍が北に加勢して、戦線が何度も朝鮮半島を行き来した。その間にソウルは二度にわたって北朝鮮軍に占領《せんりょう》されたし、韓国軍が平壌《ピョンヤン》を占領したこともある。

この戦争の死者数についてはさまざまな説がある。南北合わせて300万人とも400万人ともいわれ、正確な統計は不可能というのに近いだろう。そのほかに米軍で約5万人、中国軍で約100万人の死者が出たとされている。開戦の翌年1951年夏から休戦に向けて話し合いが始まり、以後、休戦交渉《こうしょう》を続けながら、38度線の近くで激戦が行われるという状態が2年ほど続き、1953年7月にやっと休戦協定が結ばれた。これはあくまで休戦であって、終戦ではない。だから北にも南にも徴兵制《ちょうへいせい》が敷《し》かれ、大勢の人たちが戦争に備えるために膨大《ぼうだい》な時間を費《つい》やしている。

そして朝鮮戦争は、日本に生まれて日本の教育を受けた人たちにとっては想像しづらい面をたくさん持っている。

まず、朝鮮半島の全土で残酷《ざんこく》な地上戦が行われたことだ。日本の領土でこれと同じ経験をしたのは、沖縄《おきなわ》の人々だけである。もちろん日本の本土の人々も、空襲《くうしゅう》や原爆《げんばく》という惨事《さんじ》を体験したけれど、身近なところに敵がひそみ、都市や村落を占領するという地上戦の恐怖《きょうふ》は経験していない。

次に、この戦争が、アメリカと旧ソ連の対立である冷戦時代の幕開けにあたるイデオロギー戦争だったことだ。そのため、多くの地域で、戦線が移動して支配者が入れかわるたびに、敵と味方が逆転するという事態が起きると、そのつど「裏切り者狩《が》り」のようなことが起き、戦闘員《せんとう》でもなんでもない多くの住民が裁判にもかけられずに殺されていった。誰が敵で誰が味方か区別が難しい状況《じょうきょう》下では、子どもや女性、高齢者までがスパイと見なされて殺されることすらある。全貌《ぜんぼう》を把握《はあく》することはとても難しいが、戦争初期に韓国軍と警察、右翼《うよく》団体によって殺された民間人は20万人から30万人という推測がなされている。

「なかったこと」にされた大量死

このような虐殺は、戦争勃発《ぼっぱつ》前から始まっていたものだ。1948年に起きた**済州島《チェジュド》4・3事件**の際には、共産主義者と決めつけられて殺された人が2万5000〜3万人に上るといわれている。

済州島4・3事件

韓国と北朝鮮の建国前からその後の時期に、南だけの単独選挙に反対する済州島民を、アメリカ軍政庁（大韓民国樹立までの間、朝鮮半島南部を統治していた占領行政機関）や韓国政府軍が「反共」という名目で大量虐殺した事件。

もちろん、どんな土地にも無念の死はある。けれども韓国では、植民地統治下での３・１独立運動（49～50ページ）に始まり、済州島４・３事件、朝鮮戦争、４・19革命（１０２ページ）、光州事件（16ページ）と、歴史の節目で無念の大量死が起きてきた。しかも、それらの死が「なかったこと」にされてきたという事実がとても大きい。済州島４・３事件や、朝鮮戦争の時期に行われた無罪の市民たちの虐殺は、その後もずっと真相が隠《かく》され、報道が規制された。日本でも戦後、ＧＨＱの占領下では、広島・長崎の原爆について厳しい報道規制がなされていたが、それが何十年も続いたと想像してみよう。

報道規制だけではない。無実の罪で死んだ犠牲《ぎせい》者の遺族たちが真相を究明することはもちろん、それらの死について公然と口にすることも許されなかった。遺族が建てた追悼碑《ついとうひ》がブルトーザーで撤去《てっきょ》されたこともある。哀悼《あいとう》、追悼が禁止される様子を、韓国の歴史家、韓洪九《ハンホング》（１９５９～）は「死を殺した」と表現する。

それが最も凝縮《ぎょうしゅく》された形で現れたのが、１９８０年の光州事件のあとの時期だっただろう。

光州事件もまた「暴徒が起こした暴動」と報道され、一般の市民が真実を知ることは１９８７年の民主化後まで不可能だった。そんな中で、事件直後の６月に、地元新聞の『全南毎日新聞』は一面に金準泰《キムジュンテ》（1948〜）の詩「ああ、光州よ、わが国の十字架《か》よ」を掲載《けいさい》した。これは、どんな記事を載せてもどうせ検閲《けんえつ》で削除《さくじょ》されてしまうから、詩を載せようという編集局の判断によるものだった。事件を目撃した金準泰の作品には、妊娠《にんしん》中の女性が胎児《たいじ》と一緒に殺されたことなども織りこまれて、報道の役割まで務めている。新聞に詩が掲載されると、金準泰は逃亡《とうぼう》生活に入った。

この新聞は10万部印刷されて全国の主要都市にひそかに運ばれ、ソウルに送られたものが英語に翻訳されて海外にも伝わり、世界じゅうへソリを届けた。まさに、ゲリラ戦の武器のように詩が使われていた。

弾圧《だんあつ》が厳しく、じっくり机の前に座って小説を書く余裕《よゆう》などなかったその時期、詩の持つ瞬発力、対応力が存分に発揮された。パソコンもプリンターもなかったそのころは、手軽に複製できる版画が重要なメディアであり、躍動《やくどう》的に踊る人々の姿を描《えが》いた版画と詩の組み合わせはまさに定番だった。当時、東京の韓国書籍《しょせき》専門店にも大量の詩の雑誌やムック、詩集や詩画集が入荷するのを私も目《ま》のあたりにしている。その中からいくつかを選んで、恐《おそ》る恐《おそ》る翻訳したこともあった。

無念の大量死の蓄積《ちくせき》が社会の根底にあり、追悼が禁じられている。ここにも、韓国で詩人たちの仕事が重要でありつづけた理由があるのではないだろうか。１９８７年の民主化以降少しずつ、歴史の封印《ふういん》が解かれ、犠牲者たちの名誉回復も進んだが、真相究明の作業は今も続行中だ。

惑星《わくせい》のあいだを詩が行き来する

現在も生きている詩人の役割

私がソウルに住んでいた90年代初めには、キ・ヒョンド（１９６０～１９８９）という詩人が大人気だった。「誰が去っても、死んだとしても／ぼくらはみんな偉大《いだい》な一人ぼっちだった」（「悲歌――赤い月」）といった詩句に、暴力の時代の中で成長して民主化を迎《むか》えた世代特有の青春の不安が表れている。真《ま》っ暗闇《くらやみ》を通過したあとの薄闇がさらに重い、90年代とはそんな時代だったのかもしれない。１９８９年に29歳の若さで亡くなった詩人だ。

また、常に女性詩のトップランナーだったチェ・スンジャ（１９５２～）もよく読まれていた。「私が存在しているってこと／それは永遠の噂《うわさ》にすぎないの」（「かつて私は」）は、家父長制と資本主義の両方に抗《あらが》う心の震《ふる》えである。

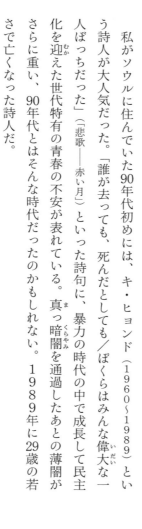

キ・ヒョンドもチェ・スンジャも、今や一種のカリスマと言ってよい。小説の中でその作品が引用されたり、詩人の名が言及《げんきゅう》されることも多い。変化の激しい韓国社会でこの2人のソリが愛されつづけているのは、痛みの伝達という役割において2人がずば抜けて優《すぐ》れているからだろう。

あれから30年以上が経《た》って、現在の韓国の詩を読んでいると、ひとりひとりの詩人が重すぎる荷物を背負わなくてはならない時代は終わったと感じる。目覚ましい発展と目まぐるしい変化の中で、決して朗々としすぎない韻律で、日常の中で思考が羽ばたき、想像力がぐんとのびる一瞬をとらえている。

ぼくらがずっと前に交《か》わしたことばたちは捨てられたのじゃなく　今もあの森の奥深くへとぼとぼ歩いていくところなんです　ちょうど今日あたり　あの年の夏のことばがそこに到着したことでしょう

（パク・ジュン「森」）

こうした詩には、今の日本に生きる人々と地続きのものを感じる。大ざっぱに言いすぎかもしれないが、以前にあった緊張感《きんちょう》はやわらぎ、手をのばせば届くところでの情感のやりとりが可能になっている。

　そして、何か大きな事件があったとき、やっぱり詩人の役割は生きているんだなと思うこともある。

　金恵順《キムヘスン》（1955〜）は今、世界的に注目を集めている詩人で、『死の自叙伝《じじょでん》』（吉川《よしかわ》凪《なぎ》訳、クォン）は、セウォル号事件をはじめ、韓国で無念の死を遂《と》げた人々に捧《ささ》げる詩集だ。霊魂《れいこん》がこの世とあの世のあいだにとどまるといわれる死後49日の1日めから49日めまで、1日に1編ずつ書いた作品で、韓国社会に潜在《せんざい》する大量死の記憶《きおく》がまざまざと立ち上ってくる。

あなたは足がなくて行けないけれど幼なじみたちが先に行っている
あなたの黒い文字で返事すら書けないあの明るい穴から手紙が来る

あなたの子供たちがあなたの前で年を取り
あなたより先に輪廻《まわ》しに行ってしまった所から

とっても明るい光のインクで書いた手紙が来る

（「白夜《びゃくや》　五日目」吉川凪訳）

金恵順の詩はたくさんの痛みを抱《だ》きこんでいる。だが、それを追っていくと、思いがけない光を浴びることになる。

また、チン・ウニョン（1970〜）は詩人で、また文学を読み、書き、話し、聞くことを通して自分と他者の関係を考える「文学カウンセリング」という興味深い実《じっ》践《せん》を行《おこな》っている研究者でもある。この詩人が2014年にオンライン上に発表した詩「あの日以後」は、大きな反響を呼び、2022年に詩集に収められた。

お父ちゃん　ごめん
2キロちょっとしかなくて　小さく生まれてきてごめん
20歳にもなれなくて　ほんのちょっとしかそばにいられなくてごめん
お母ちゃん　ごめん
夜、塾《じゅく》に行くとき携《けい》帯《たい》の充《じゅう》電《でん》切れてて心配させてごめん
船から帰ってくるときも　一週間も連《れん》絡《らく》できなくてごめん

（「あの日以後」）

これはセウォル号事件に直接関連した作品で、「船から帰ってくるとき」というのは、セウォル号事故の後、遺体が見つかるまでの時間を指す。

チン・ウニョンがこの詩を書いたのは、この事件で亡くなった250人の高校生のひとり、ユ・イエウンさんの家族の依頼《いらい》によるものだ。イエウンさんの誕生日を前にして、「イエウンの声《ソリ》で書いた詩」を書いてほしいと頼《たの》まれたのだという。

このように、はっきりと誰かの身代わりになって詩を書くということに、大方の詩人は尻《しり》ごみするだろう。チン・ウニョン自身も、誰かの代弁をしようとすることは倫理《りんり》的に正しいのかと悩み、また、ふだんの自分の詩のスタイルはあきらめるという決断をしなくてはならず、今までに受けた依頼の中で最も苦しかったと語っている。しかし、イエウンがどんな子だったか伝えることは、この人を忘れないよう記憶の共同体をつくりだすという意味で重要な仕事だったと、語っていた。

そしてこの詩は「友だちと遊ぶのに忙《いそが》しくてなかなか二人の夢に出てこなくても悲しまないで」「私は悲しみの大洪水《こうずい》の後にかかる虹《にじ》のような子」と続き、「私はあの日以後も永遠に愛されている子ども、みんなのイエウン」と結ばれている。

韓国では、セウォル号事件や、2022年のハロウィンに繁華《はんか》街で158人が人混みに巻きこまれて死亡した梨泰院《イテウォン》雑踏《ざっとう》事故など、社会全体で悼《いた》まねばならなかった事件・事故について「セウォル号惨事《さんじ》」「梨泰院惨事」という呼び方が用いられる。「惨事」という言葉の背景に、歴史の中で積み重なってきた無念の大量死への思いがうかがえるようでもある。

私たちは文学の惑星群《わくせいぐん》に生きている

こうした隣国《りんごく》の詩人たちの動きは、以前に比べたらずっと多く日本に紹介《しょうかい》されるようになった。詩人や、詩の普及《ふきゅう》に努める人たちが来日して話をする機会も増え、両国にまたがる読者は増えつづけ、ＳＮＳなどで活発に情報が共有されている。

コロナ禍《か》の中で、ある韓国の文芸評論家が日本の詩人の詩を引用していた。

しにたいような消えたいような、
水族館に行きたいだけのような、チューインガム
みたいな切なさのために、わたし、死ぬ必要なんてないよ。
口を隠して、鼻を隠して、
世界からわたしを見えなくすればいいだけの、
簡単な自殺をしよう。

（最果《さいはて》タヒ「マスクの詩」）

最果タヒ（1986〜）のこの詩は、2014年に日本で出た詩集『死んでしまう系のぼくらに』に収められたもので、世界が新型コロナウイルスにおびえていた2020年7月に、チョン・スユンの翻訳によって韓国で出版された。

それを読んだ韓国の文芸評論家シン・ヒョンチョルは、最果タヒの詩を原作とする石井裕也《ゆうや》（1983〜）の映画『映画　夜空はいつも最高密度の青色だ』にも触れながら、今つけているマスクはコロナ以前からもうあったのだということを注意深く書いている。誰にも絶望する権利はなく、災厄《さいやく》の中でも、他者の存在を気にかけながら暮らすことが大切なのだと。あたりまえの結論かもしれないが、そこにたどりつくためにシン・ヒョンチョルが日本の詩を経由していることが、貴重な眺《なが》めに思えた。

ソリのやりとり、痛みのやりとりが隣国とのあいだでゆっくり交わされている。

文学の世界には、「世界文学」という概念《がいねん》があって、グローバルな広がりの中で多様な地域の文学を読み、評価することの重要性がとなえられてきた。けれども、その枠《わく》組みは依然《いぜん》として欧米中心で、英語に翻訳されることが世界文学として認めら

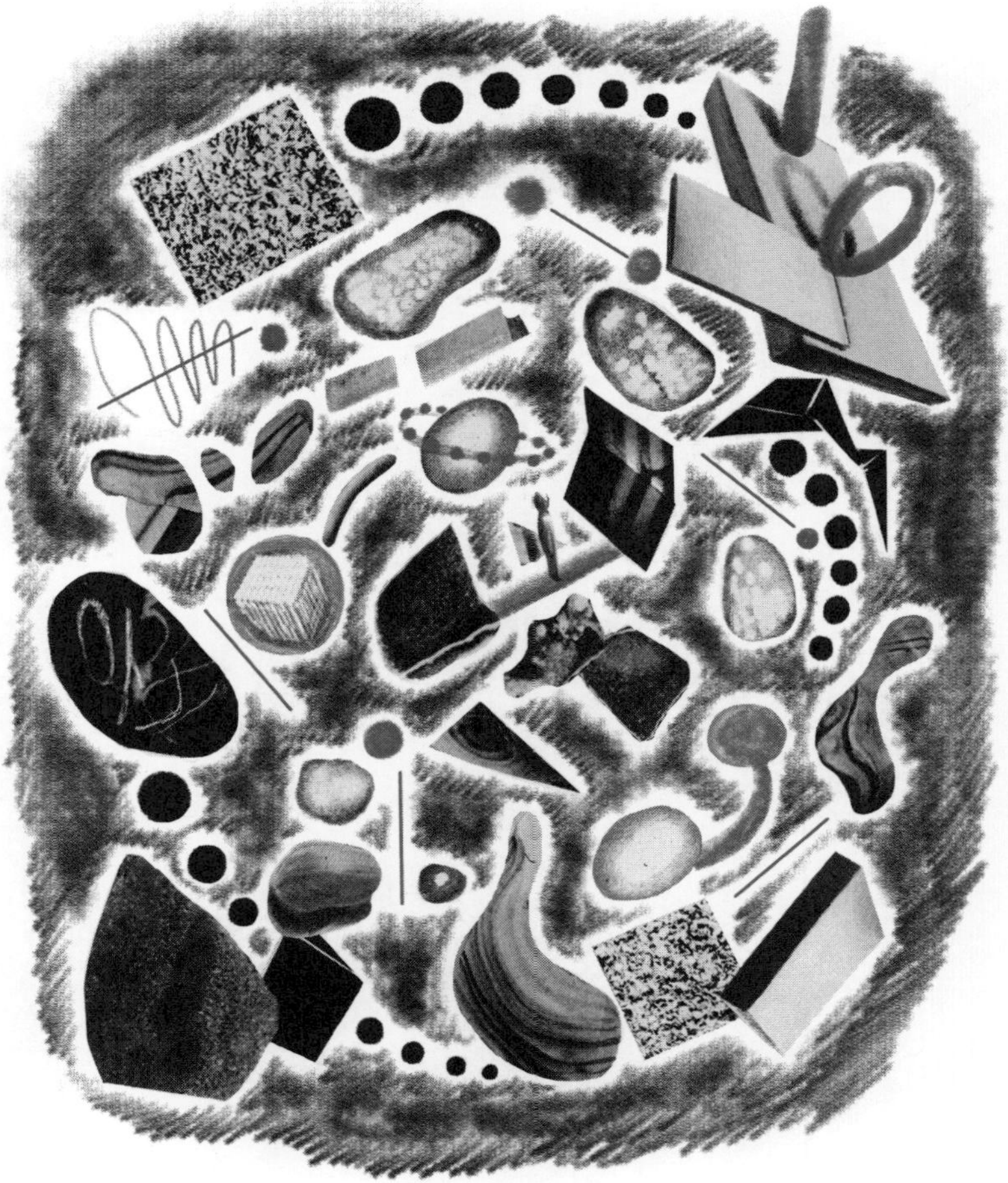

れる最低条件だ。それはある程度しかたのないことだが、それと同時に、今、日本と韓国のあいだで起きているような、英語を通過せずに実現する言語や文学のやりとりもとても大事だ。

たとえば、キム・ソヨン（1967〜）という詩人の作品は、日本で、作家の姜信子（きょうのぶこ／カンシンジャ）監修《かんしゅう》の下《もと》、「スーパー8」という名前の8人の女性翻訳者グループが共同翻訳している。この8人の中には朝鮮語のネイティブの人もいれば学習して身につけた人もおり、年代、立場もさまざまで、この翻訳の過程そのものが、おもしろくてたまらない群像劇みたいなのだ。

ノーベル文学賞のように、グローバルな物差しで文学をジャッジしランキングするのとは別に、最果タヒの詩がコロナ禍の韓国に届き、キム・ソヨンの詩が共同翻訳で日本に届く、惑星《わくせい》と惑星のあいだを行き来するような小さなやりとり。世界文学とは、そのようなやりとりの集積としてしか、ありえないのではないか。

韓国文学は今、日本で、それを必要とする人たちによって熱心に読まれている。これは朝鮮半島と日本の文化をめぐるこの100年の歴史の中で初めてのことだ。マルとクルとソリのやりとりは、始まったばかりの惑星群での経験である。

5章 사이 サイ あいだ

あいだは静止面ではなく、
竜巻《たつまき》が起きている。
だから魅《み》力《りょく》的でもあるが、
だからこそ苦しい。

翻訳《ほんやく》の仕事をしている場所

「あいだ」はいつも生々しい「今」である

「若い女の子たちが韓国《かんこく》のスターを見てキャーキャー言うようにならないと、民族差別なんて、なくならないんだよね」。

大学のサークルで一緒《いっしょ》に朝鮮語《ちょうせんご》を勉強していた在日コリアンの女性がそう言った。とても洗練された人で、さっぱりした言い方だった。

私たちは「だよね」とあいづちを打った。韓国のスターに熱狂《ねっきょう》なんて、そんなの絶対にありえないと思っていたから。１９８２年のことだ。

今調べてみると、その当時に朝鮮語の講座を設置していた日本の大学は47校にすぎなかったという（１９８３年時点）。

あれから40年近く経《た》った２０２０年度の朝鮮語教育学会の調査では、日本の４年制大学７９５校のうち４５３校で朝鮮語教育が行われている。高校でも４８７４校のうち２８６校で行われているという。学校だけでなく町の教室で、オンライン講座で、独学で、朝鮮語を学ぶ人は本当に増えた。YouTubeで「推《お》し」の動画を見て

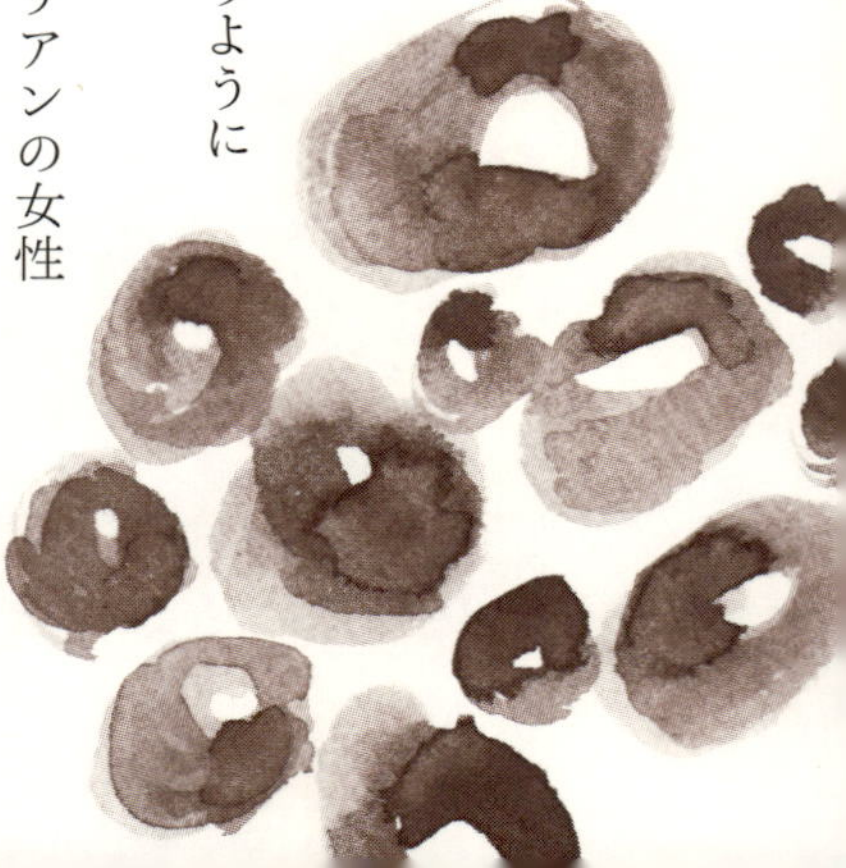

いるだけでハングルを覚えてしまったという若い人もいるくらいだ。

2003年以降の第1次韓流ブームで、ドラマ「冬のソナタ」と主演のペ・ヨンジュンが大ヒットしたとき、あの予言の半分は現実になった。民族差別もどんどんなくなるだろうと、そのとき私は思っていた。だがほとんど同じころから、北朝鮮の日本人拉致《らち》問題に伴ってすさまじいヘイトスピーチが始まった。これは今も続いていて、絶対に許してはいけないことだ。

韓国のスターに日本人が熱狂するという、ありえないと思っていた未来が今は過去になった。そして、次の未来とのあいだに、私は立っている。

あいだは「사이」(サイ)。

自分がサイにいるということはわかる。

でも、サイがどこなのかは、いつもわからない。

「あいだ」は常に、生々しい「今」そのものだ。

この本を読んでいるあなたも私も、「今」が歴史になる過程の中にいる。サイは時々刻々更新《こうしん》されている。

サイにはすり傷が残る

サイは、時間的な「あいだ」と空間的な「あいだ」の両方を指す。

「子どもたちのあいだで人気です」などと言うときも、「知らないうちに問題が起きていた」と言う場合の「うち」も、「仲が良い」と言うときの「仲」も、サイだ。

サイは、何かが始まるところ。

翻訳《ほんやく》の仕事も、サイに位置している。

韓国留学から日本に戻《もど》ってきた1992年以降、私の学んだことが役立つ機会はあまり多くなく、一時は留学したことも忘れて過ごした。文芸翻訳をやるようになったのはふとしたきっかけからで、50代も半ばになってからだった。

仕事をしているときは夢中だから、そこがサイかどうかよくわからない。朝鮮語のクルを一生けんめい読み、日本語のクルを一生けんめい書く。読んだクルと書いたクルを照らしあわせて悩《なや》んでいると、2つの言語が重なってしまい、「あいだ」なんかないような気がする。

または、トンネルのようなものの中で、朝鮮語と日本語、2つの言語の残響《ざんきょう》が重なっている感じ。

トンネルを抜《ぬ》けると、それまで重なっていた残響の層がぱっとほどけて解散してしまう。２つの言語が一緒にいた不思議な時間が終わり、物語が読者のところへ行ってしまうと、私はとり残される。そのとり残された場所が、サイかもしれない。

そしてサイは、すり傷だらけだ。

翻訳された小説を読むとき、みんな、日本語になった海外文学を読んでいると思っている。もちろんそうなんだけど、それは同時に、海外文学をくぐってきた日本語を読むことでもある。

その過程で日本語は無理をする。構文もちがえば語彙《ごい》もちがう言語で書かれた物語を通過するのだから。だからその日本語には、こすれあってできた跡《あと》――もっといえば傷――が、残っているはずだ。そうやって日本語は拡張し、日々、新しい経験をする。

朝鮮語を通ることで残る跡、または傷は、なんといっても、ごく小さなちがいが残すすり傷だ。

１章でも書いたけれど、朝鮮語と日本語は基本的に似ている。

語順がほぼ同じであること。「てにをは」にあたる助詞があること。

漢字の借用による「漢字語」をたくさん使うこと。

「です・ます」調と「だ・である」調があること。

敬語があること。
擬《ぎ》声《せい》語・擬《ぎ》態《たい》語が多いこと、など。

ここまで似ているからこそ、なおさら、小さなちがいが気になるのだと思う。

たとえば複数形の使い方だ。

日本語には無機物や抽象概念《ちゅうしょうがいねん》の複数形を表す接尾辞《せつびじ》がない。だから、「問題」を複数形にしたければ、「問題の数々」なんて言ったりする。

でも朝鮮語の「들《ドウル》」（たち）を使えば、「問題たち」という表現がなんの問題もなく成立する。「早く準備なさってください」の「準備」に「たち」をつけて、「早く準備たちをなさってください」と言うこともできる。

名詞だけじゃない。「静かにしてください！」と言うときの「静かに」という副詞に「たち」をつけて、「静かたちにしてください！」と言うこともできる。こういう言い回しに、つい振《ふ》り向きたくなるような慕《した》わしさを感じる。

でも日本語にすると、「たち」を訳せなくて、ざわざわした人間くささが抜けてしまう。「みなさん、静かたちにして！」そう書きたいが無理。翻訳が終わると、そういう思い残しが、見えないすり傷になって残る。

「雨脚《あまあし》」はあるけど「雪脚《ゆきあし》」がない

日本語に「雨脚《あまあし》」という単語がある。雨のしずくが落ちてくる様子が筋のように見える、あれのことだ。日常的によく使う言葉ではないだろうが、お天気を伝えるときにはよく見るし、文学作品での描写にも欠かせない。

朝鮮語にも、まったく同じ「雨」＋「脚」という構造の「빗발《ピッパル》」という単語がある。うれしい。

ところが、朝鮮語にはさらに、「雪脚《ゆきあし》」という単語まであるのだ。降りしきる雪の強さ、激しさ、ひたむきさを感じる言葉。でも「雪脚」は日本語に存在しない。

どうして、あるところまではこれほど同じで、その先がこれほどちがうんだろう。

「雪脚」という言葉が何度も出てくる小説を翻訳したことがある。いくつかは、「激しい雪」「雪の降り具合」などとしてニュアンスを盛りこんだつもりになれたが、多くは「雪」とするしかない。「吹雪《ふぶき》」にはまた別の単語があるので、踏《ふ》み切れない。

意味を伝える上で問題はないが、やっぱり、訳せなかった雪脚があきらめきれない。この単語の後ろに、雪を見つめている人のまなざし、ソリの気配を感じるから。

まだまだある。

「いいぞ、いいぞ」とかけ声をかけるとき、朝鮮語では「좋다《チョッタ》、좋아《チョア》」と語尾を変

化させる。揃《そろ》えてしまわないこと、躍動《やくどう》の角度に差をつけること。そこから生き生きしたリズムが生まれる。言葉のリズムのととのえ方は、身体の構えや呼吸そのものだと思うから、これだってひとつひとつちがいを拾って訳出したいが、できない。小さなちがいは大きな光。翻訳者としてではなく一学習者として、この、ちがいの光をめあてに歩いてきたので、訳せないそれらをあきらめきれない。

それらについて、一冊一冊の翻訳で答えを見つけようとしても限界がある。だから今は、「雪脚」や「静かたち」のことは、すぐにどうこうしようとせず、大事にそのまま課題として持っている。いつか方法が見つかるかもしれないから。

こうしたちがいについては、なぜそうなのか、どう考えたらいいか、自分でサンプルを集め、自分でなんとなく仮説を立ててたりしながら、考えていくのがいいと思う。それが、日本語話者がこの言語に接するときのいちばんおもしろいところだと思う。

たとえば私は、1章でも書いた「말《マル》」という言葉のおもしろさや、「俗物《ぞくぶつ》」という熟語が韓国でよく使われることに興味があって、サンプルを集めている。

答えを急がないことが、あいだにいることを楽しむいちばんのコツかもしれない。

サイにはソリがあふれている

日本は朝鮮語／韓国語の舞台《ぶたい》である

そして、２つの言語のサイについて考えるなら、忘れてはいけないことがある。この１００年以上ずっと、朝鮮語の重要な舞台《ぶたい》のひとつは日本だったということだ。

今まで大勢の人たちが、日本の各地で、この言葉を話し、また読み書きしながら生きてきた。在日コリアンと総称《そうしょう》される人々の存在である。ここがまず、強力な「サイ」の住所だ。

現在、在日コリアンのうち、植民地時代からの日本在住者とその子孫である「特別永住者」は約30万人だ。そのほかに、日本国籍《こくせき》を取得した人とその子孫、生まれながらに日本国籍を持つハーフ（ダブル）の人、１９８０年代以降に来日したいわゆる「ニューカマー」といわれる人やその子孫など、いろいろな立場で生きる人々がいる。

その存在のしかたはひとりひとりちがっていて、とても「在日コリアン」のひとことで括《くく》れるようなものではないことも、ぜひ、言っておきたい。

1910年の韓国併合《へいごう》の際、日本は朝鮮半島の人々を一律に日本国籍者とした。1945年に日本が敗戦を迎《むか》えたとき、日本には約200万人の朝鮮半島出身者がいたが、そのうち約60万人が日本に残った。そこには、すでに朝鮮半島に生活の根拠《こんきょ》がなかったり、解放後の朝鮮半島の政治的混乱が不安だったりと、さまざまな理由があった。この時点でこの人々は日本国籍を持っていた。

しかし1947年5月2日（日本国憲法施行《しこう》の前日だ）に「外国人登録令」が出て、日本国籍を持っている彼《かれ》らを「当分の間、これを外国人とみなす」こととし、管理や取り締《し》まりの対象にしてしまった。台湾《たいわん》出身者も同じだ。

さらに、1952年にサンフランシスコ平和条約が発効して日本が独立を回復した際、「外国人登録法」によって、国籍選択《せんたく》の自由が与《あた》えられないまま、日本国籍を失うことになる。国家の都合で、勝手に日本人にされ外国人にされた人たちだ。

そして在日コリアンの中には、「韓国籍」の人たちと、「朝鮮籍」と呼ばれる人たちがいる。

ここで注意しなくてはならないのは、「朝鮮籍」とは朝鮮民主主義人民共和国（北朝鮮）の国籍を意味しないということだ。これは、とても大事なこと。

そもそも1947年に外国人登録制度が始まったとき、朝鮮半島に主権国家はなく、在日コリアンの外国人登録証の「国籍・地域」欄《らん》にはすべて「朝鮮」と表示されていた。これは特定の国家を指すものではなく、あくまで、出身地を表す記号のようなものだった。

その後1965年に日本が韓国とだけ国交正常化すると、「国籍・地域」欄を「韓国」と変更することが可能になったが、2つに分かれた国の一方だけを選べないという考えなどから、「朝鮮」という記載《きさい》のままでいることを選んだ人たちもいる。そのまま変更しなかった人たちとその子孫が、現在、「朝鮮籍」と呼ばれる人々だ。

一方、日本政府は大韓民国《だいかんみんこく》を朝鮮半島における唯一《ゆいいつ》の合法政府とし、朝鮮民主主義人民共和国を「未承認国家」としつづけているため、「朝鮮籍」と呼ばれる在日コリアンは事実上の無国籍状態、または「国籍未確認」という状態である。「朝鮮」は、植民地時代から使われてきた言葉が、在留外国人管理上の「記号」として残っているだけだ。このことは誤解が非常に多いので、覚えておくべきだ。

サイに置かれてきた在日コリアン

あるとき、在日コリアンが集まるキリスト教の教会で聞いた「あとでサムソに行って……」「あの人はプッケドの人で……」といった会話の端々《はしばし》を、いまだによく覚えている。「サムソ」は事務所、「プッケド」は北海道のことだ。日本語と交じって鼓《こ》動《どう》する朝鮮語の単語、想像もつかなかった朝鮮語読みの地名。そこには、「サイ」のソリがあふれていた。

在日コリアンは今も、非常に広いグラデーションで、日本における朝鮮語の存在にかかわっている。私の周囲にもいろんな人がいる。民族学校で学んだり、韓国に留学して言葉を習得した人（両方やった人もいる）。翻訳者や通訳者になった人。韓国に住んだり日韓を行き来しながら、さまざまな仕事や勉強で使っている人。地域で会話教室を開いている人。ハングルの読み書きはしないが、祖父母や曽《そう》祖父母が話していたソリの響《ひび》きをたくさん覚えている人。ドラマやK-POPで初めて興味を持った人。英語や中国語のほうが得意かなという人から、今はなんとなく距離を置きたいという人まで、本当に広いグラデーションだ。

言うまでもなく、どの立場も尊重されるべきだし、「なになに人だからなになに語ができなくてはならない」なんていうことはまったくない。国籍と民族と言語は一《いっ》致《ち》しない。だから、「母国語」ではなく「母語《ぼご》」と呼ぶことが一般《いっぱん》的になって久しい。同時に、言語を学ぶ機会は、誰《だれ》にとっても常に、広く保障されなくてはならない。

在日コリアン社会では1945年の解放後すぐに、子どもたちへの朝鮮語教育がスタートし、ここから日本各地の民族学校が生まれた。けれども1948年、アメリカの占領軍《せんりょうぐん》を後ろ盾《だて》とした日本政府は朝鮮人学校の閉鎖《へいさ》を強制し、それに反対する人々の抗議《こうぎ》行動に対して警官隊が発砲《はっぽう》し、16歳《さい》の金太一《キムテイル》が死亡する「阪神教育闘争《とうそう》」という事件が起きている。

こんな困難まで経験しながら、それぞれの立場で、決して整っているとはいえない環境《かんきょう》で、言葉を身につける努力が積み重ねられてきた。

解放後まもないころから、朝鮮半島の文学の翻訳・出版を情熱的に手がけてきたのも在日コリアンだった。そして韓流ブームの最初のころから、どれだけ多くの在日コリアンが文化の紹介《しょうかい》に寄与《きよ》してきたことか。3代前から日本に住んでいるのに「日本語がお上手ですね」なんて言われたり、韓国に行ったら行ったで「韓国人がなぜ韓国語ができないんだ」なんて言われたりして、あいだにいる苦労を重ねながら奮闘してきた人たちだ。

「あいだ」って外から決められるものだ。在日コリアンは、日本と朝鮮半島のあいだ、そして南北のあいだに置かれることが多い。地盤《じばん》が整備されていなければ、あいだは痛い。どっちの先端《せんたん》も尖《とが》っていたら、あいだに立つことは苦痛を増やす。

李良枝《イヤンジ》（1955〜1992）という在日コリアン二世の作家がいた。1992年に惜《お》しまれながら亡くなったが、韓国へ留学して伝統舞踊を学びながら小説を書きつづけた人だ。

その代表作で、芥川《あくたがわ》賞も受賞した『由熙《ユヒ》』には、李良枝同様、日本から韓国へ留学した在日二世の女性・由熙が、2つの言語のあいだで苦しむ描写《びょうしゃ》がある。

朝、目覚めて、「アー」という音のような声のようなものが口から出てくるが、それが「아《ア》」なのか、「あ」なのかがわからない。それが「아」ならば、「아《ア》、야《ヤ》、어《オ》、여《ヨ》」と続いていくことばの杖《つえ》を、「あ」ならば「あ、い、う、え、お」と続いていく杖をつかんで歩いていけるのだろうが、目醒《めざ》めた瞬間《しゅんかん》、それがどちらか、はっきりわかった日がないと。

小説と作家自身の経験を安易に混同してはいけない。だが、『由熙』に見られるように、母語以外の言語への挑戦《ちょうせん》は、ある人たちにとってはチャンスに満ちた選択だが、ある人にとっては、特に、状況《じょうきょう》がちがえばそれが母語であったかもしれない人にとっては、覚悟《かくご》を決めてとりくむ課題、苦痛な強制にもなりうる。そこにはいつも波が立っている。あいだは静止面ではなく、竜巻《たつまき》が起きている。だから魅力《みりょく》的でもあるが、だからこそ苦しい。

2つの言語のあいだには敷居《しきい》がある

今ほど、日本文化と隣国の文化が、そして2つの言語が、好意をもって、公平に歩み寄った時代はなかったと思う。少なくともこの100年のあいだでは。

そして一方、今ほど露骨《ろこつ》な敵意や憎悪《ぞうお》が在日コリアンや隣国《りんごく》に直接的に、継続的に向けられる時代もなかったのではないか。

これほどはっきりした「愛」と「憎」が同時に存在する時代は、足元をよく見ておかなくてはならない。

2つの言語、2つの文化のあいだにはやはり敷居《しきい》がある。日本が朝鮮半島を植民地にしたということ、そのときに起きた問題がいまだに解決されていないということだ。在日コリアンの法的地位や人権の問題もそのひとつだ。

片側からは敷居がよく見えないことも多い。けれども、だからといって敷居が存在しないかのようにふるまうことはまちがっている。それを続ければいつか、自分の家を歩いていても、つまずくだろう。朝鮮半島と在日コリアンの歴史を知ることは日本人自身にとって重要だ。

朝鮮語を勉強しつづけると、日本語の明らかな痕跡《こんせき》があることに気づくときがあ

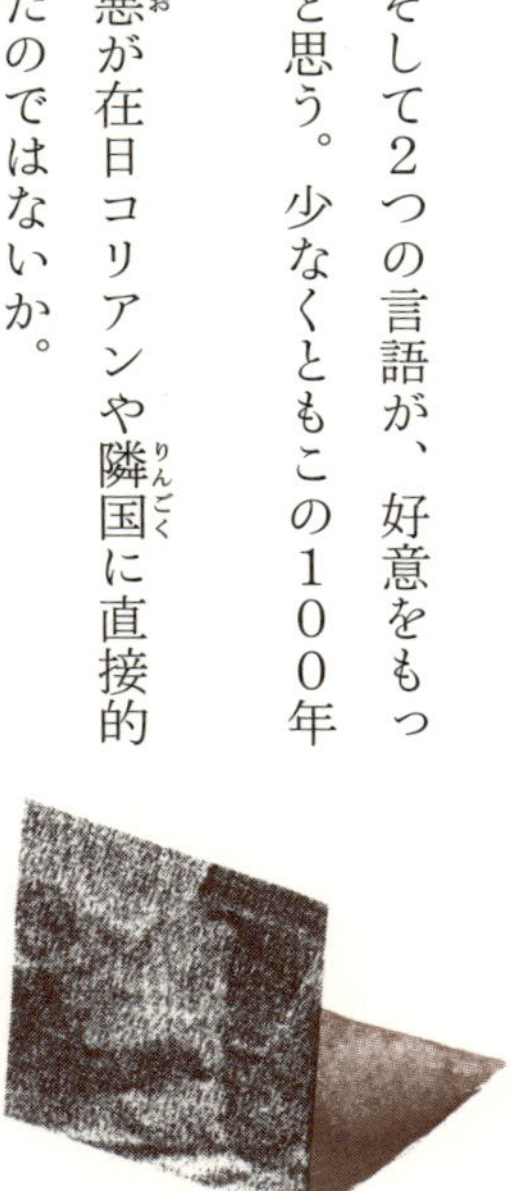

るだろう。現代の小説にも「ドカタ」とか「シマイ」などといった単語がハングル表記で出てきたりする。日本語が食いこんでいた痕跡だ。こんなところにも敷居がある。

一方で、4章で紹介した李箱《イサン》の作品には、ハングル表記された日本語の単語がいっぱい出てくる。それらは、押《お》しつけられたものでもあるけれど、2つの言語を行き来しながら新しい文学をつくろうとしていた李箱の挑戦の跡でもある。

そして現在は「올팬《オルペン》」（アイドルグループの「オールファン」、全員を推《お》しているという意味）、「막《マン》내《ネ》」（「末っ子」、グループの中のいちばん年少のメンバー）などといったK-POP用語の韓国語がどんどん入ってくる。すごい勢いで、交差が起きている。

朝鮮語にも日本語にも長い長い歴史がある。その中で、この言語を学ぶ誰もが「サイ」である今を生きている。小さく見えるちがいに目をとめて、ときにはマルとクルとソリという呼び方で自分の思いを整理しながら、学んだことを活《い》かしたいと思う。サイを歩いてきた人たちの足を、けとばさないで生きたいと思う。

今の日本でこの言語を学ぶことは、「敷居」をなかったことにするためじゃなく、こういう種類の敷居が二度とつくられないようにという願いのために、活かされてほしい。

そして可能なら、学ぶ中で、隣《となり》の国の人々から、朝鮮語／韓国語と日本語のあいだに立ったから受けとれたというひとことを、「あいだのソリ」を、聞きとってほしい。

生きられない飛行機

私のそれは、1982年に初めて韓国へ行ったときに聞いたものだ。

ある方の紹介で、日本語を勉強しているというソウルの女性のお宅に泊《と》めていただいた。私の朝鮮語もその方の日本語も、上手とはいえないレベルだったが、なんとか会話はできた。

まだ幼稚《ようち》園児だった2人のお子さんと一緒に、「子ども大公園」というところへ連れていってもらった。ちょうど、8月15日（韓国ではこの日が「光復節《クァンボクチョル》」といって国民の祝日である）の直後だったからか、戦争の話になった。

「日本はもう戦争をしないでしょう、なぜなら人々がそれを望んでいないので」と、私が言い、「そうであると、私も知っています」とAさんが答える。

そんな会話をしたあとだったと思う。Aさんは私の目を見て言った。

「일본에《イルボネ》　살지《サルジ》　못하는《モッタヌン》　비행기가《ピヘンギガ》　있었지요《イッソッチヨ》?」

日本に、サルジモッタヌンピヘンギがあったでしょう？

「サルジモッタヌンピヘンギ」――直訳すれば、「生きられない飛行機」だ。

さて、最近どこかで飛行機墜落《ついらく》事故があったっけと、私はとっさに頭をめぐらしたが、思いあたらなかった。そしてようやく気づいた。神風《かみかぜ》だ。神風特攻《とっこう》隊のことを言っているのだと。

あれが、私の受けとった、いちばん深い「あいだのソリ」だったと思う。

私の祖先たちが大きな過《あやま》ちをして、あなたの国の人々を生きられない飛行機に乗せようとした。そして実際に乗せたのだ。神風特攻隊には、朝鮮人兵士も含《ふく》まれていたのだから。

生きられない飛行機。これほど端的に特攻隊の本質を言いあてた言葉を、それまでもそのあとも聞いたことがない。そこは生きられない世界だったと教えてくれた、この言葉を、いま、韓国語とも朝鮮語とも呼ばれる言葉を学ぶ人たちみんなと、わかちあいたい。

おわりに

この本の作業をしているあいだ、前書きに書いたようにたびたび水正果《スジョングァ》をつくって飲んだ。思うように書けない焦《あせ》りを落ち着かせるためでもあった。

だけど、一度へまをした。あるとき、シナモンスティックを入れるのをうっかり忘れ、生《しょう》姜《が》と砂糖だけでつくってしまったのだ。この味は何かちょっとちがうみたいと思いながら飲んでいって、飲み終わるころにやっと気づいた。これじゃ水正果とはいえない。

生姜を煮出《にだ》して砂糖を入れただけでは、ただの生姜茶だ。韓国語ではセンガン茶という。もちろん、生姜茶だって美味《おい》しい。とはいっても。

水正果のシナモンはどういう仕事をしているかというと、香りの担当だ。生姜がぴりっとした味を、シナモンは奥《おく》ゆかしく甘《あま》い香りを出す。私がつくるといつも2つの材料の配合加減が一定しないが、要は、できあがりが爽《さわ》やかならそれでいいか、と思う。

そして今、気になるのは、この本があまり爽やかでなかったらどうしようという点だ。朝鮮《ちょうせん》半島の文学について話したり書いたりするとどうしても肩《かた》に力が入ってしまう。いつも、「これが最後かもしれない」「今言えることを今言っておかなくては」みたいに思うので、重いことばっかり先に言ってしまう。もちろん、隣国《りんごく》の歴史は本当につらいことの連続で、それを伝えることは必要だからしかたがないのだが、だいたいの場合、書いても話しても「歴史が大変だった」と言ってるうちに終わってしまう。

でも、隣国の文化の根底にはいつもユーモアがある。それが抜《ぬ》けると、シナモン抜きの水正果みたいになってしまう。この本ではそこが不足しているなと、反省しているが、シナモンの部分はみなさんが自分で加味していってくれたらと思っている。言語を学びながら、またはそのほかのいろいろな機会を通して。

日本と朝鮮半島のあいだにはどうしても敷居《しきい》があるという話を、本書の5章に書いた。そして、敷居の上で自分の頭を使って考えることは、結果として、中身のある楽しい人生につながるんじゃないかと思う。

さまざまな背景を持つ日本語話者がこの言語に接近することは、それが長い旅でも短い旅でも、身についてもつかなくても、何がしか、自分をしっかり踏《ふ》み固める、そういう経験になると思っている。

たくさんの方にお世話になってこの一冊ができた。お礼の気持ちでいっぱいです。

斎藤《さいとう》真理子《まりこ》

GUIDE

韓国語と日本語のあいだをもっと考えるための作品案内

本文で引用、紹介《しょうかい》した作品のくわしい情報です。その他のおすすめの作品も最後に紹介しています。

*書店で見つからないものは、図書館などで探してみてください。

●1章 말（マル）言葉

ハングルへの旅　新装版　茨木《いばらぎ》のり子著（朝日文庫、2023年）*単行本は1986年（朝日新聞社）。

これこそ「水正果《スジョングァ》の味」。朝鮮《ちょうせん》語を第二言語として学ぶ楽しさ、奥深《おくぶか》さを伝えてくれる古典的名著です。

音楽 **なくしてしまった言葉**　キム・ミンギ作詞・作曲

キム・ミンギは「朝露《あさつゆ》」など韓国《かんこく》の民主化運動のシンボルになった有名な曲をつくった人で、ミュージカルも手がけています。3章で触《ふ》れる「ソリの深さ」を実感できる歌声です。

目の眩《くら》んだ者たちの国家　キム・エラン他著、矢島暁子《あきこ》訳（新泉社、2018年）

セウォル号事件に寄せた作家、詩人、研究者らの真剣《しんけん》さがこもったエッセイ集。社会全体にとってつらい体験との向きあい方、韓国の文学者たちが発言するときの基本姿勢がわかります。

外は夏　キム・エラン著、古川綾子《あやこ》訳（亜紀書房《あきしょぼう》、2019年）

「セウォル号以後文学」の代表といわれている短編集。「立冬」だけでもぜひ読んでみてください。

●2章 글（クル）文、文字

訓民正音《くんみんせいおん》　趙義成《チョウイソン》訳注（平凡社《へいぼんしゃ》ライブラリー、2023年）

1446年に発表された『訓民正音』に直接触れることのできる喜び。現代語訳と訳注、詳《くわ》しい解説を手がかりに、「世宗《セジョン》大王とのチューニング」にチャレンジしてみてください。

新版　ハングルの誕生　人間にとって文字とは何か　野間《のま》秀樹《ひでき》著（平凡社ライブラリー、2021年）

「音から形を切り出す」という魅力《みりょく》に満ちたハングルの世界をとても幅《はば》広い視点から解き明かすと同時に、言語という存在そのものへの壮大《そうだい》な旅のような書。

映画 **マルモイ　ことばあつめ**　オム・ユナ監督《かんとく》（韓国、2019年）*日本公開は2020年。

「朝鮮語学会事件」（50ページ参照）を素材とした映画。初めての朝鮮語辞典をつくるために命がけで奮闘《ふんとう》した人たちの情熱を描《えが》きます。

海游録《かいゆうろく》　朝鮮通信使の日本紀行　申維翰《シンユハン》著、姜在彦《カンジェオン》訳注（東洋文庫、平凡社、1974年）

1719年の第9回朝鮮通信使来訪時の記録。案内役を務めた雨森芳洲《あめのもりほうしゅう》に関する記述も興味深いです。雨森芳洲の人生と仕事については『雨森芳洲　元禄享保《げんろくきょうほう》の国際人』（上垣外憲一《かみがいとけんいち》著、中公新書、のち講談社学術文庫）が最適ですが、品切れなので、図書館などで探してください。

ギリシャ語の時間　ハン・ガン著、斎藤《さいとう》真理子訳（晶文社《しょうぶんしゃ》、2017年）

個人の傷と社会の傷の重なり、そしてその回復過程を描く作家ハン・ガン。韓国社会に染《し》みついてきた暴力性を描く『菜食主義者』（きむ ふな訳、クオン）、光州事件を描く『少年が来る』（井手俊作《いでしゅんさく》訳、クオン）、済州島《チェジュド》4・3事件を描く『別れを告げない』（斎藤真理子訳、白水社）で有名です。『ギリシャ語の時間』にはその土台となる言葉への懐疑《かいぎ》と和解が描かれていると思います。

史上最強の韓国語練習帖《ちょう》　超《ちょう》入門編　いきなり 読める！

書ける！ 話せる!!　野間秀樹著（ナツメ社、2021年）

図解でわかる　ハングルと韓国語　文字の歴史としくみから学ぶ　野間秀樹著（平凡社、2023年）

2章と3章で解説したハングルのしくみはごく一部にすぎません。きちんと知りたい方はまずこの2冊あたりからスタートしてみてください。

定本　韓国語講座　金禮坤《キムイェゴン》著（ハザ(Haza)、2024年）

1961年から1962年にかけて在日コリアンの学習者に向けて雑誌に連載《れんさい》された幻《まぼろし》の入門講座を復刊したもの。ある程度学んだ人が読むととてもおもしろく、発見がたくさんあると思います。

●3章　소리（ソリ）声

K-POP原論　野間秀樹著（ハザ(Haza)、2022年）

音楽と言語の関係、今という時代にK-POPがなぜ愛されるのかをこんなにスリリングに解き明かした本はほかにありません。選び抜《ぬ》かれたK-POPのYouTube動画のQRコード150本が掲載《けいさい》され、一瞬《いっしゅん》で飛んですぐに聴《き》けるのもすごい。

韓《から》くに文化ノオト　美しきことばと暮らしを知る　小倉紀蔵《おぐらきぞう》著（ちくま文庫、2023年）＊『韓国語はじめの一歩』（ちくま新書、2000年）を改訂《かいてい》、増補。
朝鮮語に惹《ひ》かれる心をみずみずしく描いた名エッセイ集。詩や文学のこともたくさん書かれています。

私の朝鮮語小辞典　ソウル遊学記　長璋吉《ちょうしょうきち》著（河出《かわで》文庫、河出書房新社、2024年中に刊行予定）＊単行本は1975年（北洋社）。数々の名訳と文学的論考を残した著者が体験したソウル留学記で、隣《となり》の国の人々の魅力がいっぱいです。これを読んで韓国留学を決めた人も多いとか。

私たちが記したもの　チョ・ナムジュ著、小山内園子《おさないそのこ》・すんみ訳（筑摩《ちくま》書房、2023年）
『82年生まれ、キム・ジヨン』という大ベストセラーの著者が、根拠《こんきょ》のないマルやクルとの戦いを描いた短編「誤記」が入っています。ほかにもさまざまな女性たちの直面する「今」を描く、全世代を応援《おうえん》する短編集。

きらめく拍手《はくしゅ》の音　手で話す人々とともに生きる　イギル・ボラ著、矢澤浩子《やざわひろこ》訳（リトルモア、2020年）
イギル・ボラによれば、コーダは「二つの言語と二つの文化を行き来しながら生きていく存在」であり「生まれながらに交差性を持った存在」。母語と異なる言語を学ぶ人全員にとって発見のある一冊です。

韓国現代詩選〈新版〉　茨木のり子訳編（亜紀書房、2022年）＊原著は1990年（花神社）。
戦後を代表する詩人が自ら選んで訳した、12人の韓国詩人の作品集。「まったく一種のカン」だけを頼《たよ》りに「自分の気に入った詩だけ」を選んだという、すみずみまで愛情が行きわたったアンソロジーです。

映画　**チャンシルさんは福が多いね**　キム・チョヒ監督（韓国、2019年）＊日本公開は2021年。
一生懸命《けんめい》生きるチャンシルさんとお月様に祈《いの》る大家さん、2人とも応援したくなる心の温かくなる映画。ちなみにチャンシルさんが話しているのは釜山《プサン》の言葉です。

韓国文学を旅する60章　波田野《はたの》節子・斎藤真理子・きむ　ふな編著（明石書店、2020年）
49人の著者が古典文学から最新の文学までさまざまな文学者と作品をとりあげ、それぞれにまつわる土地との関連で読み解いた楽しい文学ガイド。4章に出てくる詩人・韓龍雲《ハンヨンウン》、李相和《イサンファ》、李陸史《イユクサ》、李箱《イサン》、尹東柱《ユンドンジュ》、鄭芝溶《チョンジヨン》、金起林《キムギリム》にも1章ずつ当てられています。

韓国文学の中心にあるもの　斎藤真理子著（イースト・プレス、2022年）
朝鮮戦争を中心に、激動の韓国現代史と文学とのかかわりを概観《がいかん》する文学エッセイ。文学史上の南北分断についても詳しく書いています。

翼《つばさ》　李箱《イサン》作品集　李箱著、斎藤真理子訳（光文社古典新訳文庫、2023年）

尹東柱《ユンドンジュ》詩集　空と風と星と詩　尹東柱作、金時鐘《キムシジョン》編訳（岩波文庫、2012年）

死の自叙伝《じじょでん》　金恵順《キムヘスン》著、吉川凪《よしかわなぎ》訳（クオン、2021年）

死んでしまう系のぼくらに　最果《さいはて》タヒ著（リトルモア、2014年）

詩人キム・ソヨン　一文字の辞典　キム・ソヨン著、姜信子（きょう・のぶこ／カン・シンジャ）監訳、一文字辞典翻訳《ほんやく》委員会訳（クオン、2021年）

奥歯《おくば》を噛《か》みしめる　詩がうまれるとき　キム・ソヨン著、姜信子監訳、奥歯翻訳委員会訳（かたばみ書房、2023年）

以上2冊のキム・ソヨンの作品は、姜信子さんと8人の翻訳者の共同作業でできあがった本です。たくさんの人の手でひとつの言語から別の言語へ本が旅するプロセスそのものがエキサイティング。

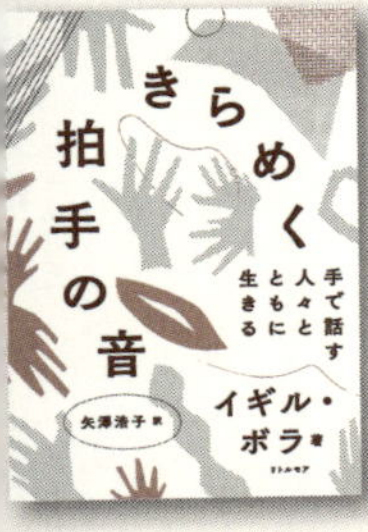

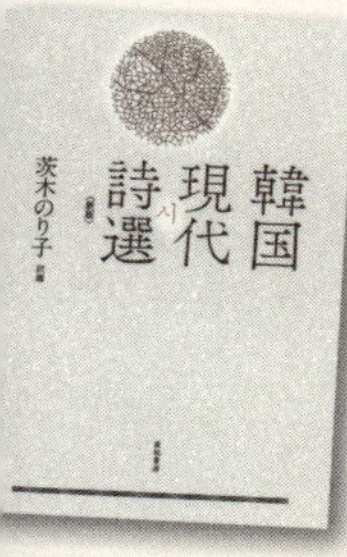

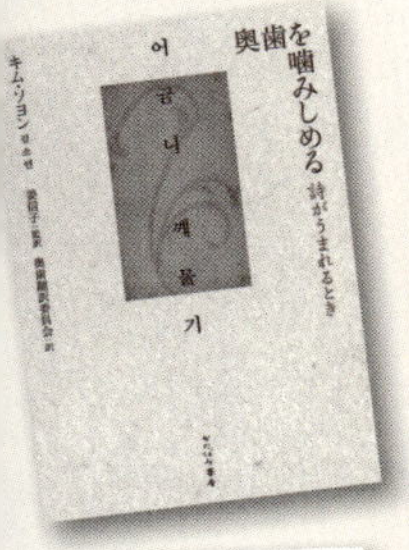

●5章　사이（サイ）　あいだ

在日朝鮮人　歴史と現在　水野直樹《なおき》、文京洙《ムンギョンス》著（岩波新書、2015年）

在日コリアンの歴史を学べば現代日本の横顔がはっきり見えてきます。

朝鮮籍《せき》とは何か　トランスナショナルの視点から　李里花《リリカ》編著（明石《あかし》書店、2021年）

「朝鮮籍」とは、朝鮮民主主義人民共和国の国籍ではなく、「事実上の無国籍」、または「国籍未確認」という状態です。いつか国家の枠組《わくぐ》みを超《こ》えて自由で平等な社会を夢見るための論集。

それはわたしが外国人だから？　日本の入管で起こっていること　安田菜津紀《なつき》著、金井真紀《まき》絵・文（ヘウレーカ、2024年）

2021年に入管（出入国在留管理庁）の中で亡《な》くなったウィシュマ・サンダマリさん、川崎市で暮らしてきた石日分《ソクイルブン》さんなど、日本の入管政策に翻弄《ほんろう》されてきた4人を取材。朝鮮半島にルーツを持つジャーナリストの安田菜津紀さんの文章と、「難民・移民フェス」の実行委員である金井真紀さんの絵が出会った大切な本です。

カメラを止めて書きます　ヤン ヨンヒ著（クオン、2023年）
済州島4・3事件のサバイバーであるお母さんを撮《と》りつづけたドキュメンタリー映画『スープとイデオロギー』の監督による書き下ろしエッセイ。著者からのメッセージは「日本と朝鮮半島の歴史と現状を全身に浴びながら生きてきた私の作品が、人々の中で語り合いが生まれる触《しょく》媒《ばい》になってほしい」。

レイシズムとは何か　梁英聖《リャンヨンソン》著（ちくま新書、2020年）
在日コリアンへの差別を中心に書かれていますが、それにとどまらず、なぜ差別行為《こうい》は起きるか、根源にさかのぼって考える大切な本。

李良枝《イヤンジ》セレクション　李良枝著、温又柔《おんゆうじゅう》編・解説（白水社、2022年）
2つの言葉のあいだを生きた作家李良枝。李良枝の文学に大きな影響《えいきょう》を受けた作家・温又柔さんのセレクトで、本書で引用した短編小説「由熙《ユヒ》」も収録。

ことばの杖《つえ》　李良枝エッセイ集　李良枝著（新泉社、2022年）
37歳《さい》で急逝《きゅうせい》するまで、文学と舞踊《ぶよう》という2つの世界での思索《しさく》が詰《つ》まったエッセイ集。韓国で生きた10年を振《ふ》り返り、自らに呼びかけるように「この今の中で　励《はげ》みなさい」「この今の只中《ただなか》で／等しく見つめ　等しく手に取り／在《あ》ろうと意志することすら意志せずに／励みつつ　在りなさい」と記した詩「木蓮《もくれん》に寄せて」がすばらしい。

緑と赤　深沢潮《ふかざわうしお》著（小学館文庫、2019年）＊単行本は2015年（実業之《の》日本社）。
緑は韓国の、赤は日本のパスポート。16歳で初めて自分が在日コリアンだと知った知英《ちえ》、帰化した在日コリアンで韓国留学中の龍平《りゅうへい》、K-POPに夢中の梓《あずさ》などさまざまな立場の人々が韓流とヘイトスピーチが錯綜《さくそう》する2013年の東京で出会う小説。「あいだ」の苦しさと「あいだ」の希望が見えます。

●その他

複数の言語で生きて死ぬ　山本冴里《さえり》編（くろしお出版、2022年）
複数の言語を使って生きる、言葉と言葉の境界で生きる人たちは世界じゅうにいます。さまざまな経験から学ぼうとする豊かな論集。「「韓国語は忘れました」――人にとって母語とは何か」（鄭京姫《チョンキョンヒ》）が大いに参考に。

言語の本質　ことばはどう生まれ、進化したか　今井むつみ・秋田喜美《きみ》著（中公新書、2023年）

オノマトペの考察から始まって「言語って何だろう」「なぜヒトだけが言語を持つのだろう」という大きな問いへの答えを探《さぐ》る本。

漢字世界の地平　私たちにとって文字とは何か　齋藤希史《さいとうまれし》著（新潮選書、2014年）

読み、書くとはいったいどういう行為なのか。漢字はいつ、どのように漢字になったのか。東アジアの「漢字圏《けん》」に生きる人たちの共通テーマを追った、明晰《めいせき》で教わるところの多い本です。

韓国カルチャー　隣人《りんじん》の素顔《すがお》と現在　伊東《いとう》順子著（集英社新書、2022年）

続・韓国カルチャー　描かれた「歴史」と社会の変化　伊東順子著（集英社新書、2023年）

韓国に長く住んだ著者が、たくさんのドラマや映画を通して韓国社会のリアルを存分に紹介してくれます。同じドラマもこれを読むのと読まないのとでは大ちがい。

地球にちりばめられて　多和田葉子著（講談社文庫、2021年）＊単行本は2018年。

留学中に故国が消滅《しょうめつ》し、自分だけの手作り言語「パンスカ」によって生きのびる女性Hirukoの物語。言語で生き方が制限されても、言語で道を開いていく主人公の姿を通して、孤独《こどく》で爽快《そうかい》な未来が見える小説です。

曇《くも》る眼鏡《めがね》を拭《ふ》きながら　くぼたのぞみ・斎藤真理子著（集英社、2023年）

南アフリカ共和国出身の作家J・M・クッツェーやナイジェリア出身のチママンダ・ンゴズィ・アディーチェの翻訳で知られる英語翻訳者くぼたさんとの往復書簡で、翻訳、言葉、文学、植民地や差別の問題について考えた一冊です。

日常の言葉たち　似ているようで違《ちが》うわたしたちの物語の幕を開ける16の単語　キム・ウォニョン、キム・ソヨン、イギル・ボラ、チェ・テギュ著、牧野美加《まきのみか》訳（葉々社、2024年）

コーヒー、テレビ、おもちゃ、怠惰《たいだ》……。ひとつの言葉について立場のちがう4人が書いた文章を集めるだけで、「似ていて／ちがう」世界がぐんぐん見えてきます。韓国の「今」を代表する魅力的な書き手が勢ぞろい。

著者＝斎藤真理子（さいとう・まりこ）

１９６０年新潟県生まれ。韓国《かんこく》文学の翻訳《ほんやく》者。著書に『本の栞《しおり》にぶら下がる』（岩波書店）、『曇《くも》る眼鏡《めがね》を拭《ふ》きながら』（くぼたのぞみとの共著、集英社）、『韓国文学の中心にあるもの』（イースト・プレス）、訳書にハン・ガン『別れを告げない』（白水社）、チョ・ナムジュ『82年生まれ、キム・ジヨン』（筑摩書房《ちくましょぼう》）、チョ・セヒ『こびとが打ち上げた小さなボール』（河出書房《かわでしょぼう》新社）、パク・ミンギュ『カステラ』（共訳、クレイン）ほか多数。

（写真撮影：増永彩子）

装画・本文イラスト＝小林紗織（こばやし・さおり）

画家。２０１３年より音楽を聴《き》き浮《う》かんだ情景を描《えが》く試み「score drawing」の制作を開始。近年は、映画『うたのはじまり（バリアフリー上映版）』の絵字幕の作成、岸本佐知子・柴田元幸《しばたもとゆき》編訳『アホウドリの迷信』（スイッチ・パブリッシング）やリー・アンダーツ著『母がゼロになるまで』（河出書房新社）など書籍《しょせき》装画も手がける。また、「小指」の名称《めいしょう》で作家としても活動中。

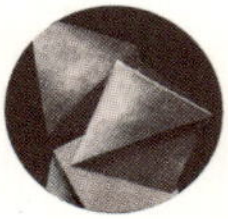

文章から示される灯火《ともしび》を頼《たよ》りに、私も言葉の海に潜《もぐ》りながら夢中で挿絵《さしえ》を描《か》きました。みなさんがこの本に没入《ぼつにゅう》していく手助けになれたら、とてもうれしいです。

シリーズ「あいだで考《かんが》える」

隣《となり》の国《くに》の人々《ひとびと》と出会《であ》う
韓国語《かんこくご》と日本語《にほんご》のあいだ

2024年8月30日　第1版第1刷発行
2025年4月30日　第1版第6刷発行

著者　斎藤真理子《さいとうまりこ》

発行者　矢部敬一
発行所　株式会社　創元社
〒541-0047 大阪市中央区淡路町4-3-6
電話（06）6231-9010（代）
https://www.sogensha.co.jp/

朝鮮語学監修　野間秀樹

編集　藤本なほ子
装丁・レイアウト　矢萩多聞
装画・本文イラスト　小林紗織
印刷　株式会社太洋社

ISBN978-4-422-93118-0 C0398

シリーズ「あいだで考える」

創刊のことば

私たちは、本を読むことで、他者の経験を体験できます。

本の中でなら、現実世界で交わることのない人々の考えや気持ちを知ることができます。自分と正反対の価値観に出会い、想像力を働かせ、共感することができます。

本を読むことは、自分と世界との「あいだに立って」考えてみることなのではないでしょうか。

さまざまな局面で分断が見られる今日、多様な他者とともに自分らしい生き方を模索《もさく》し、皆《みな》が生きやすい社会をつくっていくためには、白でもなく黒でもないグラデーションを認めること、葛藤《かっとう》を抱《かか》えながら「あいだで考える」ことが、ますます重要になっていくのではないでしょうか。

シリーズ「あいだで考える」は、10代以上すべての人のための人文書のシリーズです。

書き手たちは皆、物事の「あいだ」に身を置いて考えることの実践《じっせん》者。その生きた言葉は、「あいだ」を考えるための多様な視点を伝えます。

それを読むことは、自ら考える力、他者と対話する力、遠い世界を想像する力を育むことを助け、正解のない問いを考えてゆくためのねばり強い知の力となってゆくはずです。

先の見えない現代、10代の若者たちもオトナと呼ばれる世代も、不安やよりどころのなさを感じ、どのように生きてゆけばよいのか迷うことも多いはず。

本シリーズの一冊一冊が「あいだ」の豊かさを発見し、しなやかに、優《やさ》しく、共に生きてゆくための案内人となりますように。

そして、読書が生きる力につながる実感を持ち、知の喜びに出会っていただけますようにと願っています。